小さなこつも、大きなポイント
知りたがりの、お菓子レシピ

「オーブン・ミトン」
小嶋ルミ

文化出版局

contents

おいしいお菓子作りの近道 4
道具選びと使い方 5

● タブーにも挑戦、人気のシュークリーム
ミトンズ シュークリーム 10
　　column 01 絞り出し袋の使い方 15
ビスケットのせシュー 16
クロカンクリームのエクレア 18

● 焼きすぎないほうがおいしいお菓子
蒸焼きガトーショコラ 20
カップの中のガトーショコラ 24
ガレット・ブルトンヌ 26/28

バニラプレッツェル 27/30
ヴィエノワ 27/31
　　column 02 バニラシュガーの作り方 31

● きめの粗いメレンゲで作るお菓子
抹茶のシフォンケーキ 32
ほうじ茶のシフォンケーキ 32/36

● きめの細かいメレンゲで作るお菓子
スフレロールケーキ・プレーン 38
スフレロールケーキ・抹茶&小豆 38/42
ヨーグルトクリームのバシュラン 43
ヌガー・グラッセ 46

- ●練ったバターで作れる、さくさくのパート・ブリゼで

バナナとパイナップルのタルト 50

　　column 03 オーブンのくせを知る 54

キッシュ・ロレーヌ 55

レンズ豆のキッシュ 55

　　column 04 タルト生地の穴あきチェック 57

ルバーブのクランブルタルト 58

薄切りりんごのタルト・タタン 60

- ●オーブンで煮つめるように仕上げるお菓子

リンツァートルテ 62

　　column 05 フランボワーズジャムの作り方 65

- ●泡立て方と粉の混ぜ方が、違いを生むパウンドケーキ

バニラのパウンドケーキ 66

　　column 06 「キッチンエイド」で作る場合 70

オレンジのサマーケーキ 71

- ●絶妙の口どけに冷やし固めるお菓子

はちみつのブランマンジェ 74

　　column 07 あんずのソースの作り方 76

コーヒーのブランマンジェ 77

ジャスミンティーのブランマンジェ 77

　　column 08 ゼラチンについて 78

材料について 79

おいしいお菓子作りの近道

　私のお菓子はすべて「おいしい！」と心から感動できるまで、何度も何度も作り込んだものです。

　私のお菓子は生地そのものを味わうものがほとんどです。それは基本的な材料である粉、卵、バター、生クリームなどの風味が広がるお菓子が好きだから。果物、ナッツ、茶葉、チョコレートなどを加えるお菓子は、やさしく生地と調和しているのに印象深い味わいのものを作りたいからです。そして、それは偶然できるものではありません。

　材料の細かい配合はもちろんのこと、泡立て方や混ぜ方など作る過程が味わいを大きく左右します。生地をイメージどおりの状態に安定して作り上げるためには、いろいろな疑問を納得するまで作って解決し、次のステップへ進み、レシピという形にしなくてはなりません。

　だからこそ、皆さまが実際にお菓子を作ったら、きっと持つであろう疑問がよくわかるのです。

　それをなるべくクリアしておかなくては、私の好きなお菓子の味をお伝えすることができません。お菓子を食べるのも作るのも大好きで、おいしさの秘密をもっと知りたがっているかたは、ぜひ全部を読んで作ってみてください。一見些細なことでも、一度そのとおりに作業したら大きな違いが出ると思います。何度も作ってみなくては、なかなか体得できないようなことも、私のレシピには加えておきたいのです。

　スタート地点から少しでもリードしてお菓子作りを始められたら、さらに先に進むための新たな興味がわくことでしょう。この本がそんなきっかけになってくれたら、とてもうれしいと思います。

Oven mitten
小嶋ルミ

道具選びと使い方

同じ材料、同じ配合で作っても、使うボウルやへらなどが違い、
泡立て方や混ぜ方が違えば生地の状態が変わってしまうこともあります。
そうなればおのずと味わいも変わります。

はかり

レシピを見ればわかるとおり、1g単位の細かい計量が必要です。一見めんどうに思えるかもしれませんが、デジタルばかりならどんな数字でも手間は全く一緒。そしてその数gで香りや味わい、食感が変わるのです。デジタルなら材料を加算していくのも簡単。ぜひデジタルばかりで計量してください。

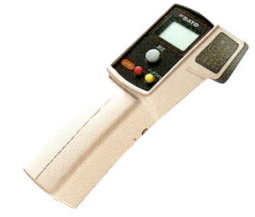

温度計

バターや卵の泡立ちぐあいや混ざりぐあいは、材料の作業開始時と作業途中の温度によっても変わります。材料に向けてピッとボタンを押すだけで1℃単位で測れる赤外線センサー温度計なら、作業途中の確認も楽です。

ボウル

ほとんどの場合に使っているのが、写真のボウル。適度な深さとカーブの形がバターや卵の攪拌に向いています。軽くて使いやすい点もおすすめ。内径21cmのLサイズは、バターを100～150g使用するパウンドケーキ類、卵を100～200g使用するスポンジケーキ類に適しています。〝無印良品〞の品です。

敷き紙

型に敷き込む紙です。型離れをよくするためだけでなく、適度に水分や油分を吸って生地に密着し、ふくらんで一度上がった生地がすべって沈むのを防ぐ役目もあります。だからつるつるしたベーキングペーパーではなく、クラフト紙などと呼ばれている製菓用の紙やわら半紙が適当な場合があります。この本では「バニラのパウンドケーキ」「オレンジのサマーケーキ」「スフレロールケーキ（2種）」に必要です。

粉ふるい

粉を均一に早く混ぜるためにも、こし器を通してふるっておくことは大切です。万能ざるなどを利用するのではなく、専用の目の細かいこし器を使ってください。

●万能ざる

ステンレス製の万能ざるでこすほうが向くのは、アーモンドなどナッツのパウダーや、上白糖、粗びきの全粒粉を使う場合です。

粉をふるう

1 案外見落としがちなのは何の上でふるうか、ということ。大きめの紙の上でふるってほしい。こし器を揺すりながら粉がふんわりと空気を含むよう、手早くふるえる。ふるった粉は自然に落ちたままにしておけるので圧力もかかりにくい。最後は手で粉を落として分量どおりのすべての粉をふるい落とす。

2 何よりボウルに加えるときも合理的。紙を縦長に軽く折って、ボウルに向かって粉をすべらせて落とす。

3 最後は紙を裏からはじけば、残すことなく加えることができる。

ハンドミキサー

ミトン流の作り方をお伝えするとき、ハンドミキサー選びは重要な注意点です。素材の泡の含み方次第で、仕上りの口どけのよしあしが決まり、風味の広がり方まで変わってくるからです。そこで泡立て方、泡立て時間の目安を記しましたが、卵やバターは3〜5分も泡立てることがあるので、効率によってかなり差が出てしまいます。羽根の形を見てください。素材をとらえる部分が先細りではなく、同じ幅でまっすぐなもの、一本一本が針金状ではなく、平たい帯状のものが効率よく泡立てるのに向いています。

泡立て方

1
素材を入れたボウルに
羽根を垂直に入れる。
泡立てる間もこの角度を保つ。

2
羽根を底から少し浮かせて、
素材の中で
最大の円を描くように
(ボウルの側面に羽根が軽く当たって
音を立てるくらい)
ミキサーごと回しながら泡立てる。
泡立って素材のかさが増したら、
羽根もそれに合わせて位置を上げ、
さらに泡立てる。

3
羽根の回転数はもちろん、
ミキサー自体を回す速度でも
泡立ちぐあいに差が出る。
早いとしっかりした泡立ちに、
ゆっくりだとしなやかな泡立ちになる。
必要な場合はそれぞれに目安を記した。

4
必要に応じて最後にきめを整える。

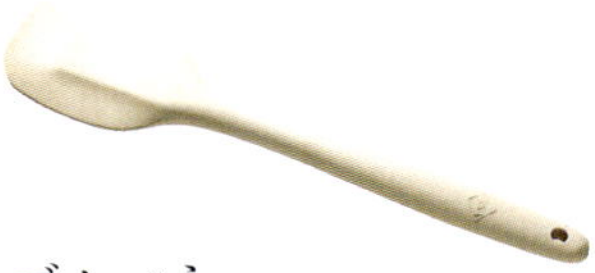

ゴムべら

耐熱性シリコン樹脂の一体型がおすすめです。イイヅカの"ニュークリーンヘラ小"を使っています。

混ぜる

ミトン流の生地の作り方では、泡立てた卵やバターに粉類を混ぜるときに「切るように」とか「さっくりと」という表現はしません。泡立てに続き、混ぜ方を変えるだけで今までとは違う仕上りのお菓子を楽しめるのですから、ぜひ挑戦してください。この本のお菓子は主に3種類の混ぜ方をしています（以下、右利きの場合です）。

手の延長のように持って混ぜる

エッジを真下にして、上からてのひらをかぶせるように柄を握る。柄の端を持ったり、反対に短く持ったりしないこと。自分の手の延長のように使いたいので、柄の端がてのひらの手首の際にくるくらい。人さし指を横に添えて固定する。

混ぜ方A

きめ細かく泡立てた卵やバターに粉を合わせるときの基本の混ぜ方です。へらの面を目一杯使って大きくしっかり混ぜ、気泡を支える粉の力を引き出し、むらのない生地にすることで口どけのいい生地が焼き上がります。

1

ボウルの斜め向う、時計の1時半の位置にへらを入れる。へらのエッジがボウルの側面に垂直に当たるくらいの角度で、材料とボウルの際から入れる。左手は9時の位置でボウルを押さえる。

2

そのままへらのエッジがボウルの面に垂直に当たりながら、ボウルの直径を通るようにして7時半の位置まで動かす。

粉気が見えなくなっても

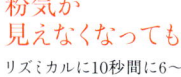

リズミカルに10秒間に6〜8回くらいのスピードでしっかり混ぜる。パウンドケーキなら合計で80〜100回も混ぜる。

3

へらに生地を目一杯のせた状態で縁近くまで持ち上げる。同時に左手を7時の位置に動かしてボウルを回す。

4

自然に手首を返し、生地を中心に落とすようにして、再び1時半の位置にへらを入れる。バターに混ぜるときは重いので、ボウルの真ん中でへらを振って生地をすばやく落とすこと。生地を引きずったまま次々混ぜると、粉のグルテンが出てしまい、風味や食感が悪くなる。

5

同じことを繰り返す。今度はさっきとは違う軌跡を通ることになるので、これを繰り返すと全体をむらなく混ぜることができる。

混ぜ方 B

主にメレンゲを他の生地と合わせるときの混ぜ方です。メレンゲはしっかり立てたものほど混ざりにくく、でも時間をかけていると泡立ちが消えて生地がだれてしまいます。へらは短い距離をスピーディに動かしてメレンゲがだまにならないようにし、へらの面はやや斜め上に傾け、エッジでメレンゲを切るように混ぜます。

1
へらをボウルの中心（やや奥でも可）に入れる。左手は9時の位置に移動。

2
そのままエッジで底から生地をこそげるように、ボウルの半径を通って7時半の位置まで動かす。混ぜはじめ1、2回だけ手首を自然に返して生地を内側に落とす。左手は、同時にすばやく7時半の位置まで動かしてボウルを回す。

3
再びへらを中心に入れる。左手は9時の位置に戻す。

4
同様にしてへらを7時半の位置まで動かし、左手でボウルを回す。

5
手首は返さずに、次々と右手が空中で縦の円を描くくらいにすばやく混ぜる。

6
10秒間に12〜16回のスピードで、リズミカルにこれを繰り返す。シフォンケーキなら30〜35回混ぜる。

混ぜ方 C

クッキー生地など、粉とバターや卵の水分をなじませるようにしてまとめるときの混ぜ方です。

1 ボウルの奥のほうでへらを斜め手前に動かして材料を手前に移動させる。

2 少し中心に移動して同様にする。

3 さらに手前に移動して同様にする。

4 いちばん手前でも同様にする。

5 4本目の筋をつけたら、そのまま生地を縁に沿って持ち上げるようにして手首を自然に返し、生地を内側に落とすようにする。同時にボウルを左手で回す。

6 リズミカルに繰り返して、粉と水分がなじむように全体をむらなく混ぜる。なじんできたら、材料をボウルに軽く押しつけるようにしてまとめる。

きれいにはらう

作業途中がきれいな人はお菓子作りも上手、とほとんどの場合に言うことができます。たとえばボウルの側面に粉がついたままにしておけば、生地にむらができるし、容器から材料を移したときにこぼしたりこびりつきがあったりすれば、計量どおりの分量が使われないことになるからです。途中、ゴムべらできれいにはらうことも忘れずに。

泡立て器のはらい方

ゴムべらでは落としきれないのが泡立て器。混ぜ終わったら指ではらってボウルなどに戻し、計量した材料に誤差が出ないようにする。このとき、針金を2本ずつまとめてつまみながらぬぐい取ると効率的。

ボウルの内側のはらい方

1 バターや卵を泡立てたら、ボウルを一度きれいにはらう。まず、へらの両面を縁でこすって、へら自体をきれいにする。

2 へらのまっすぐなほうのエッジを密着させ、ボウルを回しながらなるべく一気に長い距離を移動させる。ちょこちょことへらを離さないほうがきれいにはらえるし、生地をいためない。

ラップフィルムのバターのはらい方

ラップフィルムに包んだバターをボウルに移した後もきれいにはらう。ラップフィルムを広げて、へらのまっすぐなほうのエッジを密着させたまま横一直線に一気に動かして、薄く残っているバターを取る。へらの幅だけ場所を変えて、数回でむらなくはらうようにする。最後にはらい終わりのライン（写真だと右端）を縦一直線にはらう。へらについたバターはボウルへ。

タブーにも挑戦、人気のシュークリーム

- ミトンズ シュークリーム
- ビスケットのせシュー
- クロカンクリームのエクレア

[材料]（16〜18個分）

カスタードクリーム
 牛乳　400g
 グラニュー糖　107g
 卵黄　94g
 ┌薄力粉　26g
 └コーンスターチ　13g
 無塩バター（発酵）　22g
生クリーム　223g
シュー皮
 ┌牛乳、水　各45g
 │無塩バター　37g
 a
 │グラニュー糖　小さじ1/3
 └塩　少々
 薄力粉　46g
 卵　90g
粉糖　適宜

■カスタードはかたく煮つめ、生クリームはぼそぼそに

ミトンズ シュークリーム

「チーズが入っている？」「高価な卵が材料？」「牛乳が特別？」よく質問されたのが、開店当初から作り続けてきたシュークリームです。カスタードクリームが、とろけるというよりも、なめらかなのにほっくりとした濃厚な味わいだからでしょう。材料には種も仕掛けもありません。作り方が常識とは少し違うだけです。カスタードクリームは、とろみがつく程度ではなく、手が疲れるほど練ってかたくなるまで煮つめます。粉くささは完全に飛びますし、卵の味も牛乳のこくも凝縮されることを発見したからです。このぽってりとしたクリームに生クリームを混ぜるのですが、これも普通はここまで泡立てたら失敗というくらい、分離寸前まで泡立てます。そしてわざとむらが出るように合わせることで、口中に卵とミルクそれぞれの味わいが広がります。このシュークリームは、大量に作るのは無理。そして時間をおかずに楽しんでほしい。テクニックも力も必要ですが、手作りする醍醐味のあるお菓子です。

[作り方]
カスタードクリームを作る

- 保冷剤を冷凍庫で冷やしておく。
- 薄力粉とコーンスターチを合わせてふるう。
- バターは小角に切っておく。

1

まず、なべに牛乳とグラニュー糖の1/3量を入れて泡立て器で軽く混ぜ、中火にかける。次にボウルに卵黄を入れて、残りのグラニュー糖を加え、同じ泡立て器ですり混ぜる。砂糖のしゃりしゃりが弱くなった程度で、ふるった粉を加えてなめらかにすり混ぜる。

● 牛乳を沸かすなべは、直径16cm前後の深めのものを使っている。なべの大きさで煮つまりぐあいや時間が変わるので、できれば同じくらいの大きさがおすすめ。

● 卵黄は攪拌しすぎないほうが、卵の風味が残る。

2

1の牛乳を一煮立ちさせる。ふきこぼれないよう加減して20秒ほど沸かす。

3

すぐに1の卵黄のボウルに入れてゆっくり混ぜ合わせる。こし網を通してなべに戻す。

4

強火にかけ、ゴムべらに替えて絶えずよく混ぜる。沸騰してとろみがつき、混ぜるとなべ底が見えるくらいになったら火から一度下ろし、泡立て器で一気に混ぜてとろとろとしたなめらかさにする。

5

再び中火強にかけてへらで混ぜる。中心まで沸いてから約4分半練る。なべの側面にクリームをたたきつけるようにしてリズミカルに大きく練り、水分を飛ばしながら煮る。ぽってりと重くなるまで煮つめる。

● ここが力仕事。より多くの水分を飛ばすよう、がんばってひたすら練る。全体を均一に煮つめるのも大切なので、時々なべの側面をはらいながら練る。

6

充分に煮つめたら火から下ろし、バターを加えて余熱でとかしながらよく混ぜる。つやと香りが出てくる。

● なべ肌や底の焦げつきやこびりつきは、混ぜ込まないこと。

7

すぐにバットに移して平らにならし、熱いうちにラップフィルムを密着させて覆う。底を氷水に当て、上にも保冷剤を当てて冷ます。

- なるべく一気に冷ますと、いっそうぽっくりと仕上がり、だれたゆるいクリームになりにくい。
- カスタードクリームにしっかりこくが出ていれば、この後密閉して冷蔵し、翌日作り方17から仕上げることもできる。少々風味が落ちるが、一気に作るのが大変なときは、この方法で。

シュー皮を焼く

- 卵は室温に戻す。
- 薄力粉はふるう。
- バターは小角に切っておく。
- 天板にベーキングペーパーを敷く。

8

厚手のなべにaを入れ、強火にかける。泡立て器で軽く混ぜる。バターがとけて、全体が沸騰したら火を止める。

9

ふるった粉を一気に加えて泡立て器で手早く混ぜる。

10

ひとまとまりになったら、ゴムべらに替えて、再び中火強にかけ、底に押しつけるような感じで練りながら、1分ほど加熱する。

- ここも力を使うが、シュー皮がふくらむためのポイントの一つ。

11

ざらついてくるが、全体がやわらかくなり、なべ底に薄く膜のようにこびりつくようになったら、すぐにボウルに移す。

- 自然に取れる生地だけを移す。こびりついたものをはがして加えないようにする。

12

まだ熱いうちに、よくときほぐした卵をまず1/4量加え、ゴムべらで勢いよく混ぜ込む。残った卵を少しずつ加えながら同様に混ぜ、卵全量の2/3程度まで加える。

- 冷めないうちに手早く力強く混ぜ込む。が、卵を加える前に必ずボウルに移す。なべに直接卵を入れると火が通ってしまうことがあるので。

13

重くなってくるので、羽根を1本だけつけたハンドミキサーに替えて低速で混ぜ、残りの卵を少量残して加え混ぜる。
→p.14へ

- 卵を加えると重くなってくるので、無理せず羽根1本のハンドミキサーを利用する。ここでなめらかに混ぜると、きめが細かくきれいな皮に焼き上がる。

14

最後は再びゴムべらにしてなめらかに練り、かたさをチェック。つやが出て、すくうとのり状にのびてゆっくり三角になって落ちるくらいにする。かたいようなら残りの卵を加え混ぜる。

> ●この段階では生地はなまぬるい。冷えるとかたくなって、的確にチェックできないので手早く作業する。

15

オーブンを220～250℃に温める。シュー生地を絞る。直径1cmの丸口金をはめた絞り出し袋で、天板に直径約3.5cmに絞り出す。間隔をあけて絞る。霧吹きでたっぷり霧を吹いて、オーブンに入れる。

> ●天板に一度にのりきらないときは、2枚目の天板に同様に絞っておく。天板が1枚しかないときは、ベーキングペーパーの上に絞っておく。1枚目を焼き終わったら天板を水で一度冷ますこと。紙ごとのせて2枚目を焼く。

16

オーブンに入れたらすぐに200℃に下げて15分、さらに180℃に下げて5～10分、ふくらんで割れた裂け目にも焼き色がつきはじめたら、150℃に落として5～10分乾燥焼きする。

> ●一気に仕上げず作業を分けるときの、もう一つのポイントがここ。焼いたシュー皮は2週間ほど冷凍保存がきく。使うときに冷凍のまま150℃のオーブンで1分前後軽く温めて使う。焼いてから仕上げるまで1日以上おく場合は冷凍がおすすめ。

仕上げる

17

皮にクリームを詰める。7のクリームが充分冷めたら、ボウルに移す。

> ●冷やしはじめてから30分以上が目安。

18

木べらを使ってよく練り混ぜる。最初はかなりかたいが、力を入れてへらで押しつけるようにしながら少量ずつほぐしていく。全体が粘りつつもほぐれたら、つやが出るまでさらによく混ぜる。

> ●最後の力仕事。ほぐれてきて粘りのあるクリームになるのでがんばって。ただし、クリームのこしをきるまで混ぜないこと。

19

生クリームを泡立てる。ボウルごと氷水に当て、ハンドミキサーの低速で泡立てる。つやが消えて、ぼそぼそとするくらいまでかたく泡立てる。

> ●かたく煮つめたカスタードクリームとこの泡立てすぎたくらいの生クリームが、だらりとせずにほっくりとしたクリームになる。

20

まず1/2量を18のカスタードクリームに加え、木べらで丁寧に、ほぼ均一になるまで混ぜる。その後、残りの生クリームを入れて、今度は切るように全体を混ぜ、生クリームの白い筋がうっすらと残る程度に混ぜる。

> ●ここでむらを残して混ぜるのもおいしさを生む秘訣。混ぜすぎると均一で平板な味わいになるので、ほどほどに混ぜること。

21

シュー皮を半分、または半分より少し上で横に切る。

22

口金をつけない絞り出し袋でクリームをこんもりと絞り、皮のふたをする。粉糖を茶こしでふる。

● 作りたてがおすすめだが、もしも数時間おく場合は、紙箱に入れて冷蔵庫へ。密閉容器だと皮がしけてしまう。

---

column 01　絞り出し袋の使い方

1 絞り出し袋に口金をはめる。口金のすぐ上の袋をひねって口金の中に押し込んで口を閉じておく。深めの容器に口金を下にして入れ、開口部を外側に返す。クリーム等を入れる。

4 そのまま袋の口をひねって親指に一巻きし、中身の詰まった部分を手の中に包み込むように持つ。

2 台に置き、カードなどで口金に向かって空気を抜きながら中身をしごく。

5 天板などから1.5cm程度上（シュー皮の場合）で少し傾けた位置で口金を固定し、高さを変えずにそのまま一気に中身を絞り出す。利き手でぎゅっと押し出して、もう片方の手は口金に添えるだけ。適量絞ったらそのままさっと左側（右手の場合）に抜くように口金を離す。ぐるぐると巻きながら絞ったり、口金の高さを変えると絞りにくく、形もそろわない。

3 利き手の親指と人さし指の間にはさみ、袋の口を引っ張って中身をきっちり口金のほうに寄せる。

■ 帽子をかぶせると、
丸くふくらむ
ビスケットのせシュー

「ミトンズ シュークリーム」よりも
作り方が手軽なクリームで
目先の変わったものもご紹介します。
煮つめたこくとは味わいが違いますが、
生クリームでこくを加えます。
長く煮つめないので
バニラの甘い香りを生かします。
とろみがつくまで冷やせば、すぐに皮に詰めても大丈夫。
メロンパンのようなシュー皮がさくっと香ばしく、
シュー皮をそのまま焼くより
大きく丸くふくらむのもおもしろいところ。

[材料]（16〜18個分）

シュー皮（p.10） 全量
ビスケット生地
　無塩バター　16g
　グラニュー糖　36g
　卵　19g
　┌薄力粉　60g
　a
　└ベーキングパウダー　0.5g（約小さじ1/8）
バニラ入りカスタードクリーム
　牛乳　400g
　生クリーム　100g
　バニラビーンズ　1/3本
　グラニュー糖　87g
　卵黄　100g
　┌薄力粉　25g
　b
　└コーンスターチ　10g
　無塩バター（発酵）　12g（細かく切る）

● ビスケット生地のバターは、厚さを均一にして、室温に戻す。
● a、bはそれぞれふるい合わせる。

[作り方]

1

● バターが少ないのでビスケットにしてはどろどろした状態になる。バターたっぷりの普通の生地だと焼いている間にシュー皮からすべり落ちてしまう。

ビスケット生地を作る。ボウルにバターを入れてゴムべらでクリーム状に練り混ぜ、グラニュー糖を加えてよくすり混ぜる。泡立て器に替えてとき卵を少しずつ加え、その都度よく混ぜる。

2

● 混ぜ方はp.9のC。

なめらかに混ざったらふるったaを加え、ゴムべらで混ぜて生地を一つにまとめる。ラップフィルムに包んで冷蔵庫で2時間以上休ませる。

3 カスタードクリームを作る。バニラビーンズを縦に切り、さやから種をこそげ取る。さやごとなべに入れ、牛乳、生クリーム、グラニュー糖の1/3量も入れる。軽く混ぜて火にかける。

4 ボウルに卵黄、残りのグラニュー糖を入れてすぐに泡立て器でしゃりしゃりした感じが少なくなるまですり混ぜる。

5 4にふるったbを一気に加えて、なめらかになるまで手早く混ぜる。

6

3がふつふつと沸きはじめたら5のボウルに加え、手早く混ぜ合わせる。こし器を通してなべに戻し、強火にかけて泡立て器で絶えず混ぜながら火を通す。ふつふつと沸いてきたらゴムべらに替え、中火強にして約2分煮る。

● なべ底からまんべんなく混ぜながら煮る。生クリームのこくを加えているので煮つめる必要はない。

7

持ち上げてとろりと流れるようになったら火を止める。つやも出てくるはず。

8 バターを加えて混ぜ、ボウルに移す。

9

氷水に当ててゴムべらで絶えず混ぜながら冷まし、指を入れるとひんやりするくらいになったら、氷水からはずす。

● すぐに使うときは、ゴムべらでやわらかくなるよう混ぜてから絞り出し袋に入れる。
● すぐに使わないときは、ラップフィルムを表面に密着させて冷蔵庫に入れる。使うときに、弾力があってなめらかにのびるくらいまでよく混ぜる。

10

● ここでは菊型で抜いたが、丸型でもいいし、コップなどで抜いても。

2の生地を台にとり、めん棒で約3〜4mm厚さにのばす。直径4cmの抜き型で抜く。冷蔵庫で冷やす。

11 p.13を参照してシュー皮の生地を作る。オーブンを220℃に温める。

12

ベーキングペーパーを敷いた天板に直径3.5cm程度に丸く絞り出す。霧を吹いて10の生地をのせ、グラニュー糖（分量外）をぱらぱらと散らす。オーブンに入れ、すぐに200℃に下げて15分焼き、180℃に下げてさらに約10分、焼き色がつくまで焼く。網にとって冷ます。

13 「ミトンズ シュークリーム」と同様にしてクリームを詰めて仕上げる。

■2層のクリームと皮が一度に
　口に入るから、
　エクレア型に意味がある

クロカンクリームの
エクレア

クロカンはかりかりしたナッツの
歯ごたえを指します。
「ミトンズ シュークリーム」の
カスタードクリームと
ナッツが香ばしい
ホイップクリームを層にして
細長く焼いたシュー皮に詰めます。
皮と2種類のクリームが
常にバランスよく味わえるから
皮はエクレアの形に焼きたい。
シュークリームを作るときに半分を
こちらにしてみては。

[材料]（9〜10個分）

シュー皮（p.10）　½量
「ミトンズ シュークリーム」のクリーム
　（p.14の20）　200g
クロカンクリーム
　グラニュー糖　60g
　アーモンド（スライス）　30g
　生クリーム　150g
粉糖　適宜

[作り方]

1 p.13を参照してシュー皮の生地を作る。ベーキングペーパーを敷いた天板に直径1cmの丸口金をつけた絞り出し袋で口金より少し太くなるように8cm長さに絞る。p.14と同様に焼く。クリームも用意する。

2 グラニュー糖を小なべに入れて強火にかける。グラニュー糖がとけて、薄く色づきはじめたら混ぜて全体をとかし、一度火を止める。

3 アーモンドを加えて手早く混ぜる。

4

再度火をつけて全体がこげ茶色になったら、余熱で焦げすぎないよう手早くベーキングシートの上に取り出して広げる。そのまま冷ます。

5

冷めて固まったら、おおまかに手で砕き、厚手のビニール袋に入れる。めん棒でたたいて細かく砕く。これがプラリネ。

● 細かすぎても食感が失われるし、大きいとなじみが悪いので、大きいもので5〜6mm角程度の粒になるのが理想。

6

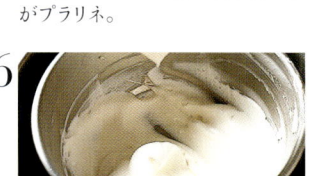

生クリームを泡立てる。ボウルごと氷水に当てて角が立つ手前の七分立てにする。

● プラリネを混ぜるとクリームが締まってかたくなるので、泡立てすきないよう注意する。最後はゴムべらで混ぜて調節するくらいに。

7

氷水に当てたままプラリネを加えて、さっくりと混ぜ合わせる。

8

シュー皮を横半分に切り、クリームを絞る。その上に7のクロカンクリームをこんもりと絞り、シュー皮のふたをして、粉糖をふる。

焼きすぎないほうが
おいしいお菓子
- 蒸焼きガトーショコラ
- カップの中のガトーショコラ
- ガレット・ブルトンヌ
- バニラプレッツェル
- ヴィエノワ

蒸焼き
ガトーショコラ

■ 竹ぐしを刺して生地が……
とろりとついても、焼上り!

卵や粉が加わって、カカオの素朴で温かい風味が楽しめるから、チョコレートの焼き菓子は大好きですが、焼けてかさかさと感じるカカオが気になるときがあります。ガトーショコラの中でも定番で作っていたクラシックショコラを、配合はそのままで蒸焼きにすればよりしっとりと仕上がるはずと思って生まれたのが、このお菓子です。熱が入りすぎないように湯せん焼きにし、竹ぐしを刺すと下のほうから粘度のある生地がついてきて、上部はまだゆるい状態でオーブンから出します。粉が生焼けで大丈夫?と思われたら、あんかけ料理を考えてみてください。とろっとあん状になったところで火は通っているわけです。ねっとりと濃厚ですが口どけがよく、チョコレートの余韻もたっぷり。そしてフランボワーズソースをぜひ。さらに完成度がアップします。

● セミスイートチョコレートは、カカオ分60〜65%、スイートは50〜55%のもの。ここではセミスイートは「ベック」、スイートは「カカオバリー」を使用。いずれにしてもヨーロッパ産の味わいが上質なものがおすすめ。

● あんずジャムとフランボワーズピュレは市販品でいい。フランボワーズピュレはフランボワーズを裏ごししたものでもいい。

[材料]
(直径15cmのスポンジ型1台分)

クーベルチュールチョコレート
  (セミスイートとスイートを1:2くらいの割合で使う) 66g
無塩バター
  (できれば発酵) 44g
生クリーム 37g
┌ 卵黄 44g
└ グラニュー糖 44g
┌ 薄力粉 12g
└ ココアパウダー 37g
┌ 卵白 94g
└ グラニュー糖 44g
フランボワーズソース
  あんずジャム 15g
  フランボワーズピュレ 50g
  粉糖 10g

● 卵白は冷蔵庫でよく冷やす。
● 型にベーキングペーパーを敷き込む(底、側面に当てる)。
● 薄力粉とココアパウダーを合わせてふるう。
● チョコレートは細かく刻む。
● オーブンを170℃に温める。

［作り方］

1. チョコレートとバターを合わせ、湯せんにかけてとかす。

2. 別のボウルで生クリームも湯せんにかけて、人肌に温めておく。

3. 大きめのボウルに卵黄とグラニュー糖を入れ、泡立て器で混ぜる。湯せんにかけ、さらに混ぜながら人肌まで温めて、湯せんからはずす。

4. 1のチョコレートを40〜50℃に温め、3の卵黄に加えて混ぜる。

5. 続けて2の生クリームも加える。

● 粉類を加えるとチョコレートや卵黄が締まってかたくなる。だから、ここまでに混ぜる材料はどれも温めておく。特に冬場は高めに温める。

6. ふるった薄力粉とココアパウダーを入れ、泡立て器でなめらかに混ぜる。

● 室温が15℃以下のときは、この後ラップフィルムをかけて温かいところに置いておく。

 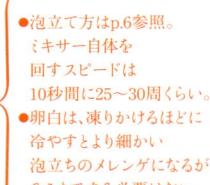

7. 冷やした卵白でメレンゲを作る。グラニュー糖をひとつまみ程度加え、ハンドミキサーの高速で泡立てる。

● 泡立て方はp.6参照。ミキサー自体を回すスピードは10秒間に25〜30周くらい。
● 卵白は、凍りかけるほどに冷やすとより細かい泡立ちのメレンゲになるが、そこまでする必要はない。

8. 2分泡立てて角が立ってきたら残りのグラニュー糖を少しずつ加える。

● ここで時間をかけるとぼそぼそとしたきめの粗いメレンゲになってしまうのでなるべく泡立てを中断せずに、グラニュー糖を加え、手早く勢いよく泡立てる。

9. 引き続き高速で2分ほど泡立てる。

10. 写真のようなしっかりした、つやのあるメレンゲにする。

11

6のボウルにメレンゲの1/3量を入れて、泡立て器でなめらかになるまで混ぜる。

12

ゴムべらに替えて、11のボウルに残りのメレンゲを加える。

13

30〜40回混ぜて、つやのある生地を作る。

● 混ぜ方はp.8のB。

14

全体がなじんだら、最後に底から大きく30〜40回混ぜて、型に流し入れる。型ごと大きく揺すって平らにならし、さらに表面をへらでならす。

● 最後にメレンゲの泡が少しこわれるくらいによく混ぜることで、流れるような生地にするのがこつ。

15

熱湯を張った天板に置いて、オーブンに20〜22分入れる。

● 慣れないうちは20分焼いたら一度竹ぐしを底までゆっくり刺してチェックしてみよう。火の入り方が足りなくて生地に粘度がないうちは、液状の生地の跡だけがつく。この場合はもう少し焼く。

16

竹ぐしをゆっくり底まで刺して、先端にとろりとしたあん状の生地がこびりついてきたらオーブンから出す。

● 竹ぐしを刺したあとの穴にはとろっとした生地が上がってくるのがわかるはず。
● 中心が少し盛り上がっていたら、生地がまださらりとしていて、こしにあん状についてこなくてもオーブンから出したほうがいい。

17

オーブンから出して、網の上で冷ます。粗熱が取れたら型のまま冷凍庫に入れる。

● しっかり焼かない分、切り分けにくいので、一度冷凍してから切る。
● 味が落ち着くのでそのまま一晩おくのがおすすめ。
● 冷凍のままで1週間ほどはおいしく楽しめる。

18

ソースを作る。ゴムべらであんずジャムを練ってからフランボワーズピュレ、粉糖を2度に分けて混ぜ、なめらかにする。

● ジュレの濃度によるので、なめらかさが足りないときは水を加えて加減する。
● ベリー系の甘酸っぱさがよく合うので、簡単ソースをぜひ添えたい。ソースが作れないときはせめてベリー類を添えて一緒にどうぞ。

19

いただくときに型から出す。型底の角をトンと打ちつけて生地を型からはがすようにし、手で押さえながら逆さにして出す。ソースを添える。

● 冷たいうちに切り分ける。切るごとにナイフを温めると切りやすい。
● 切ったらしばらくおき、その後はお好みの温度で。冷たいうちでも、とろりととけかけたくらいでも。

■ 上はチョコレートケーキ、下はチョコレートソース
カップの中のガトーショコラ

あん状の生地で仕上げるお菓子をもう一品。
表面はスポンジ生地、
中にはとろとろのチョコレートソース！
焼く間に生地が2層に分離して、
上下の生地の焼けぐあいに差が生まれます。
この差を利用するので、
下の生地に火が入りすぎないように
仕上げるのがポイント。
甘さもチョコレート味もマイルドにして、
あつあつを楽しみます。

[材料]
（150mlのカップ6〜7個分）

クーベルチュールチョコレート
　（スイート）　25g（細かく刻む）
牛乳　200g
無塩バター　33g
きび砂糖、またはブラウンシュガー
　50g
卵黄　25g
a ┌ 薄力粉　25g
　│ ベーキングパウダー
　│　0.5g（約小さじ1/8）
　└ ココアパウダー　9g
卵白　50g
粉糖　適宜

● 陶器のカップやココット型で作れるが、深さがあるもののほうが向く。

● スイートチョコレートとココアパウダーは、「ベック」または「バローナ」がおすすめ。

● バターは厚さを均一にして、室温に戻す。
● 卵白は冷蔵庫でよく冷やす。
● カップの内側にバター（分量外）をぬっておく。
● aを合わせてふるう。
● オーブンを180℃に温める。

[作り方]

1

牛乳を火にかけて、沸いたら火を止める。刻んだチョコレートを加えて溶かす。

2

やわらかくしたバターにきび砂糖を加えて、白っぽくなるまでよくすり混ぜる。

● きび砂糖、またはブラウンシュガーでこくと深みを加えるが、ないときはグラニュー糖で。

3

2に卵黄を入れてすり混ぜる。続けてふるったaを一度に加えてざっと混ぜる。

4

3に1の牛乳を2回に分けて加え、その都度よく混ぜて溶かし、液状にする。

5

冷たい卵白を泡立てて、かたいメレンゲを作る。

- メレンゲが混ざった生地と混ざらない生地に分離させたいわけなので、ぼそぼそしたメレンゲになってもかまわない。砂糖は加えずに、しっかりと泡立てる。

6

4にメレンゲを加え、泡立て器でむらなく混ぜる。

- メレンゲの泡は少しつぶれてもいい。
- 途中でボウルをはらい(p.9参照)、全体をむらなく混ぜる。

7

型に分け入れる。

8

天板に並べ、熱湯を深さ1〜2cmほど注ぎ、オーブンで湯せん焼きにする。15〜20分を目安に、表面が焼けたら竹ぐしを刺してチェックする。下のほうの生地があん状になってついてきたら焼上り。

- 焼きが足りないときの竹ぐしの状態は、『蒸焼きガトーショコラ』p.23と同様。
- 中心が盛り上がって、生地が割れてきたら焼きすぎ。
- 容器の深さや大きさによって焼き時間が異なるので、同じ容器で何度か焼いてみるのがおすすめ。

9 粉糖をかけて、熱いうちにいただく。

- 余熱でも火が入るので、焼きたてを。

■よく焼かないで
クッキーを焼いてみる
ガレット・ブルトンヌ

　フランス・ブルターニュ地方の伝統的な焼き菓子です。本来はブルターニュ特産の塩気のあるバターで焼く、ほんのり塩味のサブレです。バターと卵黄がたっぷりで、ぼろぼろとくずれるような食感が特徴。バターが多い分、焼くときに生地がだれて広がってしまうため、型をはめて厚めに焼き上げます。日本のフランス菓子店やクッキーの詰合せなどに多く見られますが、同じようでも店により焼きぐあいにはだいぶ違いがあります。ミトン風は、ラム酒でしっとりさせるのでなく、外は香ばしく、中の生地はほろりとくずれ、バターの香りが広がります。このための最大のポイントは「あまり焼かない」感覚に慣れること。クッキー類は、香ばしくよく焼くほうがいいと考えるかたが多いようですが、火を通しすぎると、バターや卵、小麦粉の風味が抜けて、印象の薄いものになります。生地の厚さとオーブンの温度、焼き時間に注意して焼いてみてください。そして、ぜひ発酵バターを使ってください。焼上りの香りの高さに驚くことでしょう。

■ さっくり軽くて、ミルキーな風味
バニラプレッツェル

卵なしで、生クリーム入り。
これもきつね色に焼いてしまっては、
風味が抜けてしまいます。
ドイツパンのプレッツェル形に
一筆描きの要領で絞り出すのが、
こわれやすい繊細なこのクッキーの形に
向いているのです。

■ 香ばしいけど、さらさらと
　口どけがいい
ヴィエノワ

よく泡立てたバターが生む軽い食感が特徴。
マーガリンやショートニングなどの
植物性油脂を入れると軽くなるのですが、
それに頼らなくても、
こんなに軽やかなクッキーができます。
ヴィエノワとはウィーン風という意味ですが、
もうすっかりオリジナルの作り方になっています。

ガレット・ブルトンヌ

［材料］
（直径6cmのセルクル18〜20個分）

無塩バター（発酵）　180g
a ┌ 粉糖　107g
　└ 塩　小さじ¼
卵黄　36g
アーモンドパウダー　20g
b ┌ 薄力粉　190g
　│ ベーキングパウダー
　└ 　2g弱（小さじ½弱）
卵液
　卵黄　1個分
　水　小さじ1
　グラニュー糖　小さじ⅕
　塩　軽くひとつまみ

● 生地は作り方6まで前日に作り、冷蔵庫で休ませる。
● a、bはそれぞれふるい合わせる。

● セルクル（底のない型）は、複雑な形でなければ楕円やハート形などほかの形や、大きさに多少の差があっても大丈夫。

［作り方］

1

● バター全体の温度を均一にするために、厚みを均一にする。
● 温度計がない場合は、指がすっと入るくらいのやわらかさが20℃の目安。
● 冷蔵庫から出したての場合は電子レンジを利用してもいい。弱に数秒ずつかけて調節するか、温度対応機能を利用。

バターを約1cm厚さに均一に切って、ラップフィルムに包み、20℃前後にする。ボウルに入れてaを加え、ゴムべらで混ぜてある程度なじませる。

2

● ここで泡立てすぎないこと。

泡立て器に替えて白っぽくなる程度に混ぜたら、卵黄を2、3回に分けて入れ、その都度軽く混ぜ合わせる。

3

● 粉気が見えなくなったらそれ以上混ぜない。

続けてアーモンドパウダーを入れて、混ぜる。

4

● 混ぜ方はp.9のC。

bを一度に入れ、ゴムべらに替えて混ぜ、全体をまとめる。

5

● この厚みもポイント。厚すぎるとその分焼き時間が長くなり、この間に風味が抜けてしまうから。写真のような7mm厚さの当て木があると便利。

厚手のシートの上に生地をあける。ラップフィルムで覆って、ある程度手で広げる。ラップフィルムのまま、めん棒で厚さ7mmにのす。

6

表面をならして整え、シートごと冷蔵庫で一晩休ませる。

7

生地を焼く準備をする。天板にベーキングペーパーを敷く。冷えた生地のラップフィルムをはがし、生地の表面に軽く打ち粉（分量外）をして、軽くのすようにしてめん棒を転がす。

- ラップフィルムをはがしたままだと、この後にぬる卵液をはじいてしまうので。

8

生地がかたいうちにセルクルで抜き、天板に並べる。

- 残った生地は、こねないようにまとめ直し、同様にのして抜く。やわらかいようなら冷蔵庫で再度冷やす。
- 天板に一度にのりきらないときも、残りの生地は冷やしておき、2回に分けて焼く。冷凍保存もできる。

9

合わせた卵液をはけで表面に2度ぬる。まず1度目をぬったら、15〜30分おいて表面を乾かす。

- 卵液は横にたれないよう縁をほんの少し残してぬる。後ではめる型にくっつかないようにするため。

10

卵液が乾いたら、2度目をぬる。すぐにフォークで筋をつける。

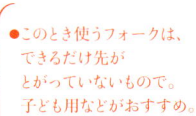

- このとき使うフォークは、できるだけ先がとがっていないもので。子ども用などがおすすめ。
- つやのある皮が張ったような表面も、このお菓子の特徴。縦横に交差した筋にも意味があって、卵液を厚めにぬってもめくれにくくなる。

11

オーブンを170℃に温める。表面を触っても指につかなくなるまで乾いたら、型をはめてオーブンに入れる。

12

約18分焼く。表面が茶色になって、つけた筋にもうっすら色がつきはじめたら、すぐにオーブンから出す。それ以上は焼かないこと。

- できれば底もチェックして、同じような焼き色がついていれば焼上り。焼けたものから取り出す。

13

すぐに型をはずして、網の上で冷ます。

- 焼きたてはまだ中心が少しやわらかく、冷めるとかたくなるくらいの焼き加減がいい。冷ますときに型をはずしておくことでほどよく水分が抜け、外側がかりっと仕上がる。冷めてしまうと型をはずしにくくもなる。

- こんがりとおいしそうでも、写真左のように中まで焼き色が入っているようでは焼きすぎ。右くらいに中は白っぽく、くずれるような生地に。焼き時間や表面の焼き色で、タイミングを覚えて。

- バターが多い生地なので、型をはめないとオーブンの中で生地が広がってしまう。が、底のある型だと、焼き上がってすぐには抜けない。数を用意するのがたいへんだが、セルクルなどが向いている。

バニラプレッツェル

［材料］（16〜18枚分）

無塩バター（発酵）　60g
バニラビーンズ　1/6本
a ┌ 粉糖　38g
　└ 塩　少々
生クリーム　25g
薄力粉　100g

- バターは厚さを均一にして、室温に戻す。
- 生クリームは室温に戻す。
- バニラは種をさやからこそげる。
- aをふるい合わせる。
- 薄力粉はふるう。

- 天板にベーキングペーパーを敷く。直径約6cmの抜き型（コップでもいい）の縁に粉をつけ、ペーパーの上に等間隔の跡をつけておく。
- オーブンを170℃に温める。

［作り方］

1

バターにバニラビーンズを加えて、ゴムべらでやわらかく練る。aを入れて白っぽくなるまで混ぜる。

{ ●空気を含ませないよう、なめらかにする。

2 生クリームを少しずつ加えて、その都度よく混ぜる。

3

ふるった粉を加えて混ぜる。粉が見えなくなったら空気を抜くように、ボウルの底に生地をすりつけるようにしてまとめる。

{ ●粉を入れてからの混ぜ方はp.9のC。

4

直径8mmの丸口金をつけた絞り出し袋に入れて、天板につけた跡を利用してプレッツェルの形に絞る。

{ ●絞り出し袋の使い方はp.15参照。
●天板に一度にのりきらないときは、別のベーキングペーパーに絞り出し、涼しいところに乾かないよう置いておき、冷ました天板に移して2回目に焼く。

5

オーブンで15〜20分焼く。上部はうっすら色づき、底は全体に焼き色がつくまで焼き、網にとって冷ます。

{ ●ちょうどよく焼けたものから先に取り出すようにして、焼きすぎないようにする。

6 好みで粉糖（分量外）をかける。

ヴィエノワ

[材料]（約25枚分）

無塩バター（発酵）　150g
粉糖　48g
バニラシュガー　13g
塩　ひとつまみ
卵白　24g
薄力粉　177g

- バターは厚さを均一にして、室温に戻す。
- 卵白は室温に戻す。
- 粉糖はふるう。
- 薄力粉もふるう。
- オーブンを180℃に温める。

[作り方]

1

バターはかなりやわらかくしておき、ゴムべらで練る。粉糖、バニラシュガー、塩を加え、へらで全体になじませるように混ぜる。

- 右下参照。または、グラニュー糖13gにさやからしごいたバニラビーンズ少々を混ぜたものでもいい。
- 20℃以下だとふわふわに泡立たない。パウンドケーキに比べると後から加える水分（卵）が少ないので、やわらかいバター、つまり温度が高めの状態から立てても大丈夫。

2

ハンドミキサーに替え、高速で5〜6分、白くふわっとするまで泡立てる。

- 泡立て方はp.6参照。ミキサー自体は10秒間に25〜30周する程度の早さで。勢いよく、時間を守ってふわふわに泡立てること。さらさらした口当りを生む大切なポイント。

3 よくほぐした卵白を2回に分けて加え、その都度、高速で30秒〜1分泡立てる。

- この間、材料の温度を22〜23℃に保てるのが理想。

4 薄力粉を加えて、ゴムべらで混ぜる。粉が見えなくなってから4〜5回混ぜる。それ以上混ぜない。

- 混ぜ方はp.9のCo。

5

天板にベーキングペーパーを敷き、直径約10mmの八角星形の口金をつけた絞り出し袋で、すきまがあかないように蛇行して絞る。

- 絞り出し袋の使い方はp.15参照。
- 天板に一度にのりきらないときは、別のベーキングペーパーに絞り出し、涼しいところに乾かないよう置いておき、冷ました天板に移して2回目に焼く。

6

オーブンに入れて8分焼き、170℃に落として6〜10分焼く。表面の筋の高い部分が色づいて、底は焼き色がつくまで焼き、網にとって冷ます。

- 全体に焼き色がつくまで焼かないこと。焼けたものから取り出す。

---

column 02　バニラシュガーの作り方

使用済みのバニラのさやを利用できます。ただし茶色い仕上りになるので、色づいてもかまわないお菓子に使います。

1 バニラのさやは汚れていたら水洗いしてから充分に乾かしておく。5mmくらいの長さに切る。これを10g、グラニュー糖は40g用意する。

2 合わせてフードプロセッサーにかける。網でこす。

3 コーヒーや紅茶に入れたり、「バニラのパウンドケーキ」のグラニュー糖の1/3をこれにかえてもいい。

きめの粗い
メレンゲで作るお菓子
- 抹茶のシフォンケーキ
- ほうじ茶のシフォンケーキ

■ メレンゲが多すぎない、
卵黄の味も広がる
シフォンケーキを焼く

抹茶のシフォンケーキ
ほうじ茶のシフォンケーキ

シフォンケーキは、よくふくらむようメレンゲを多く使うレシピが一般的です。でもミトン流は、卵白と卵黄をMサイズの卵でほぼ同数個分使う（むしろ卵黄のほうが少々多い）配合。その分ほっくりとした卵の味がして、しっとりもしています。もちろんちゃんとふわふわ。秘密の一つがメレンゲの泡立て方。きめの細かいなめらかなメレンゲ……ではだめ。大小ふぞろいの泡を含み、かさが充分に出ているメレンゲが、目指すイメージ。このメレンゲを加えた生地は、よくふくらんで焼け、かつ口当りが平板でない仕上りになります。抹茶のシフォンケーキは、焼いたその日は抹茶の香りが立ち、2日目は加えたホワイトチョコレートのミルキーな風味が次第に増します。ほうじ茶も1日目はお茶の香ばしさ、2日目は卵の風味が加わります。こんな繊細な風味の広がりを楽しめるのも、メレンゲを多くしてふくらませるわけではないからだと思っています。

抹茶のシフォンケーキ

[材料]
(直径17cmのシフォン型1台分。
太字は直径20cmの型の場合)

卵黄　　　　45g　　80g
グラニュー糖　48g　　85g
┌サラダ油　　28g　　50g
└熱湯　　　　53㎖　94㎖
┌薄力粉　　　50g　　88g
│ベーキングパウダー
a　　　3g弱(小さじ¾弱)　5g
│抹茶(香りが強めで、新鮮なもの)
└　　　　　　8g　　14g
メレンゲ
　卵白　　　　90g　　160g
　┌レモン汁
　│　　小さじ¼強　小さじ½
　└グラニュー糖　28g　50g
クーベルチュールチョコレート
　(ホワイト)　45g　　80g

●卵白は、まわりだけがしゃりっと凍るまで冷凍庫で冷やす。1〜4℃。
●ホワイトチョコレートは室温に置き、約4mm角に刻む。

●冷凍保存した卵白を使うときめの細かいメレンゲになりやすい。
反対に冷蔵したままの8℃かそれ以上の卵白だと泡は早く立ちやすいが、気泡自体は大きくなり、数多くの泡を含んだメレンゲになりにくい。
どちらもミトン風シフォンケーキには向かない。

●aの薄力粉とベーキングパウダーを合わせてふるう。抹茶を、茶こしを通して合わせる。
●オーブンを180℃に温める。

[作り方]

1

卵黄をときほぐし、グラニュー糖を加えて泡立て器で軽くすり混ぜる。サラダ油と熱湯を合わせたものを加え、なじむように混ぜる。

●白っぽくなるまで泡立てないこと。卵黄の風味が減ってしまう。
●その分、熱湯を加えてグラニュー糖を溶けやすくする。熱湯の効果はもう一つ。温度を上げておくとメレンゲの一部と合わせた生地に柔軟性が生まれ、かたいメレンゲともなじみやすくなる。

2

準備したaを一度に入れて、泡立て器をぐるぐると回して手早く混ぜる。

3
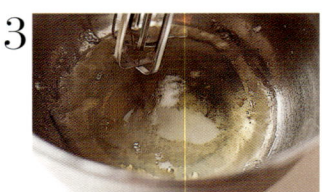
一部が凍った卵白に、レモン汁とグラニュー糖少々を加え、ハンドミキサーの低速で軽く全体を混ぜる。

●レモン汁は、卵白の泡立ちと安定性を高める。はじめに少々入れるグラニュー糖は、分離しにくくする効果がある。

4

卵白がほぐれたら高速にして2〜3分(直径20cmの型の場合は3分〜3分30秒)勢いよく泡立てる。ボウルの側面に卵白が飛び散るくらいに泡立ってきたら、残りのグラニュー糖の½量を加えてさらに1分ほど(同1分10秒ほど)泡立てる。残りのグラニュー糖を加え、30秒〜1分(同50秒〜1分20秒)泡立てて、全体をもこもことした状態のメレンゲにする。

●泡立て方はp.6参照。ミキサー自体を回すスピードは10秒間に25〜30周くらい。最後の10秒ほどはかさと強さを出すイメージでミキサー自体を回しつつ、さらにメレンゲの中で羽根が上下するように勢いよく動かして泡立てる。
●グラニュー糖はできれば泡立て続けながら加え、スピーディに勢いを止めずに泡立てて、先に短いぴんと立った角ができるようなしっかりしたメレンゲにする。

5

2のボウルにメレンゲの1/4量強を加えて、泡立て器で手早く全体をかき混ぜ、なめらかにする。

6

5を4のボウルに戻し入れ、ゴムべらに替えて混ぜる。リズミカルに30～35回手早く混ぜて、つやのある生地にする。

- 混ぜ方はp.8のB。
- ここで間をおくと、メレンゲがだまになって混ざりにくくなるので、作業は手早く。

7

ホワイトチョコレートを加えて大きく混ぜる。混ぜすぎないこと。

- ここからの混ぜ方はp.7のA。ただし左手でより大きくボウルを回し、4回で1回転するようにする。
- 生地はふんわりとつやがあって、へらですくって逆さにしてもすぐには落ちないくらいを目指して。

8

生地をカードですくって型に入れる。流れるような生地ではないので、入れた生地に次の生地を少しずつ重ねるように何回かに分けて入れる。最後に型ごと大きく回して遠心力で平らにならす。

- 生地が型の七～八分目まで入るくらいのボリュームが理想。

9

すぐにオーブンに入れて、26～28分（直径20cmの型の場合は30～35分）焼く。最高に盛り上がってから少し沈んで、割れ目にも焼き色がつくくらいまで焼いたら、オーブンから出す。

10

すぐに型ごとひっくり返して完全に冷ます。
→p.36へ

- 早く型から抜きたいときは、粗熱が取れたら冷蔵庫に入れて冷やすといい。

11

いただくときに型からはずす。まず生地の上部を手で軽く押すようにして、生地と型の間にすきまを作り、次にパレットナイフを型との間にさし込んで型からはがすように1周してから出す。中心部と底板との間にもパレットナイフをさして、型を回しながらはずす。

- 型からはずしたらその日のうちにどうぞ。どうしても残ったら、空気にふれないようラップフィルムを2重にするか、ポリプロピレン製の製菓用透明袋に入れる。翌日にはいただく。
- 焼いた翌日食べるつもりなら、型から抜かずにラップフィルムで覆って冷蔵庫へ。型から出したら室温に戻していただく。

ほうじ茶のシフォンケーキ

［材料］
（直径17cmのシフォン型1台分。太字は直径20cmの型の場合）

卵黄　45g　80g
グラニュー糖　48g　85g
┌ サラダ油　28g　50g
│ ほうじ茶　48mℓ（ほうじ茶の
│　　茶葉6g弱、熱湯90mℓ）
└　　　85mℓ（同10g、140mℓ弱）
┌ 薄力粉　62g　110g
│ ベーキングパウダー
a　3g弱（小さじ¾弱）　5g
│ ほうじ茶の茶葉
└　小さじ2　小さじ3½
メレンゲ
　卵白　90g　160g
　レモン汁
　　小さじ¼強　小さじ½
　グラニュー糖　28g　50g

● ほうじ茶は茎茶ではなく、葉の多いもので。濃く出にくい場合は、茶葉の量を増やす。

［作り方］

1

aのほうじ茶の茶葉は、すり鉢で粉状にする。茎などが残ったら除く。

2

aの薄力粉とベーキングパウダーをふるい合わせたものに、1のほうじ茶を加える。

3 ほうじ茶を煮出す。茶葉を熱湯に入れて4〜5分火にかけ、火を止めてふたをし、3分蒸らす。

4

ガーゼに茶葉を受けてこし、熱いので注意してガーゼを絞り、濃いほうじ茶をとる。48ml（直径20cmの型なら85ml）をサラダ油に加える。

5

「抹茶のシフォンケーキ」と同様に作る。ただし、ホワイトチョコレートは加えない。好みでグラニュー糖を加えて泡立てた生クリームを添える。

きめの細かい
メレンゲで作るお菓子
●スフレロールケーキ・プレーン
●スフレロールケーキ・抹茶&小豆
●ヨーグルトクリームのバシュラン
●ヌガー・グラッセ

■ やわらかくて、しなやかな
　ロール生地を焼く

スフレロールケーキ・プレーン
スフレロールケーキ・抹茶&小豆

共立てのスポンジ生地でもロールケーキを作りますが、これは別立てです。ただし、スポンジ生地ではなく、粉を練ったルーに卵黄を加えて、メレンゲと合わせる、いわゆるスフレ生地で作ります。スフレといってもすぐに沈んでしまうはかない生地ではありません。やわらかいけれど、きめが密で食べごたえがあります。バターのこくも広がります。この場合は卵黄生地になじむよう、きめの細かいしなやかなメレンゲが必要です。生クリームだけを巻いたシンプルな仕上りで、生地の風味を充分楽しんでください。抹茶風味の生地にして小豆を巻くときは、細く巻いて生クリームの割合を多くします。

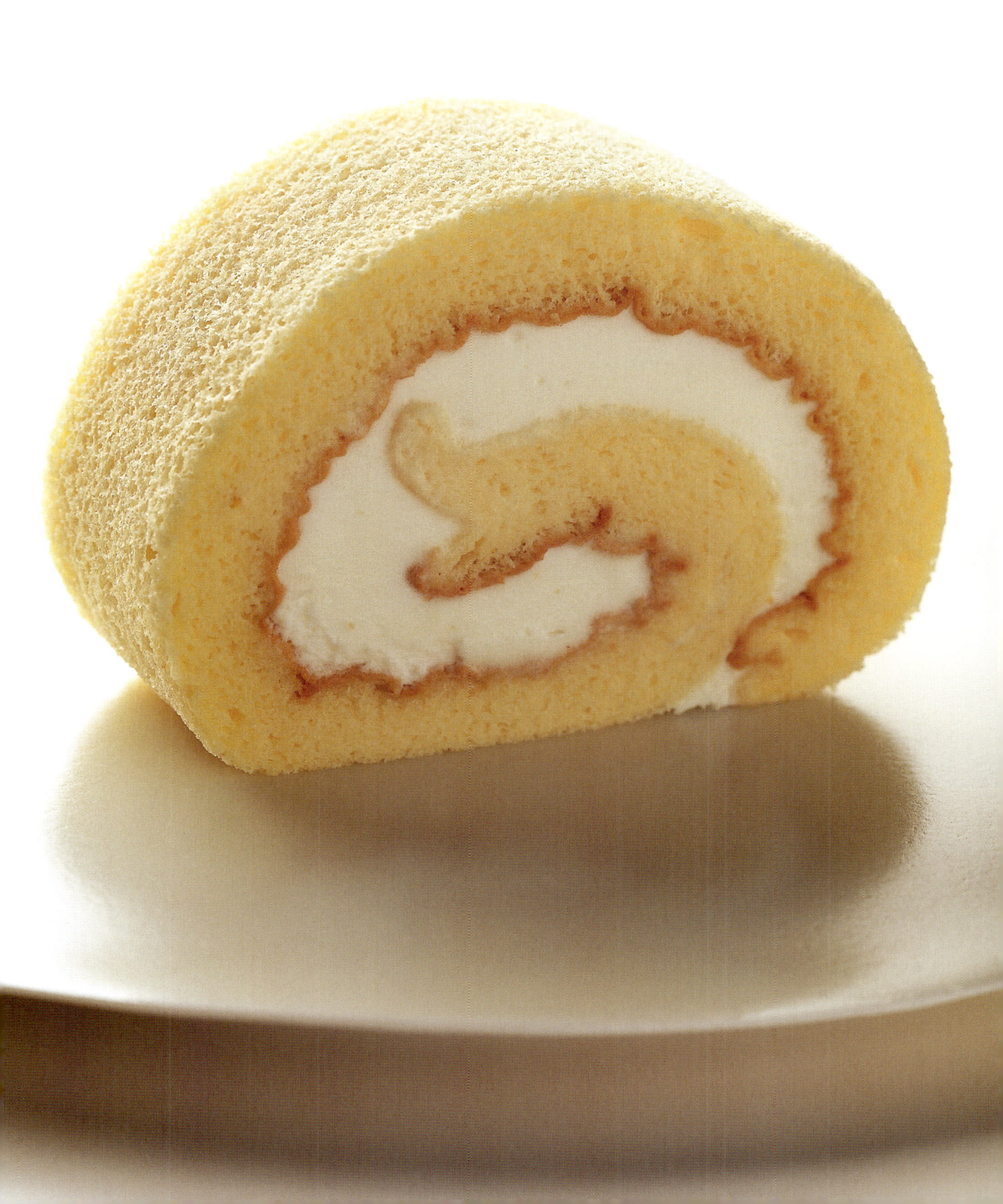

プレーン

[材料]（30cm角の天板1枚分）

無塩バター（発酵） 38 g
a ┌ 薄力粉 52 g
 └ ベーキングパウダー 3 g弱（小さじ¾弱）
牛乳 65 g（冷やしておく）
b ┌ 卵 47 g
 └ 卵黄 70 g
メレンゲ
　卵白 150 g
　グラニュー糖 75 g
┌ 生クリーム 170 g
└ グラニュー糖 13 g

● 卵白はまわりがしゃりっと凍るまで冷凍庫で冷やす。1～4℃。
● aを合わせてふるう。
● bを合わせて、よくとき混ぜる。
● 天板に敷き紙を敷き込む。下にもう1枚天板を重ねて2枚重ねで使う。
● オーブンを180℃に温める。

｝●この場合は、冷凍保存した卵白でもいい。自然解凍して凍った部分が残っているくらいで使う。

[作り方]

1 なべにバターを入れて火にかける。とけかけたらすぐに火から下ろし、ふるったaを加える。ゴムべらでなめらかになるまで混ぜ合わせる。

｝●バターは沸騰させない。余熱でとかすくらいのつもりで火から下ろし、なるべく蒸発しないようにする。

2 再度弱火にかけて、かき混ぜながら30秒～1分火を通す。生地が少しゆるんでなめらかになる。

｝●加熱時間を守り、火を通しすぎないようにする。底が焦げつかないよう注意する。

3 火から下ろして冷たい牛乳を一度に入れ、泡立て器でよく混ぜる。ゴムべらに替えてさらによく混ぜ、だまをなくす。

4 再び弱火にかけ、混ぜながら火を通す。半量程度が固まってきたら火からはずし、混ぜながら余熱を使って全体がなめらかなひとかたまりになるようにする。

｝●なべ底から生地が固まってくるのでよく混ぜながら火を通すが、全体が固まる前に火から下ろす。

5 bを2、3回に分けて加え、その都度よく混ぜて、流れる程度のとろみがある生地にして、大きめのボウルに移す。かたく絞ったふきんをかけて乾燥しないようにしておく。

6

メレンゲを作る。卵白にグラニュー糖ひとつまみを入れてほぐし、ハンドミキサーの高速で2分泡立てる。

- 泡立て方はp.6参照。ただし、ミキサー自体を回すスピードは少し遅くする。10秒で10〜12周くらい。

7

残りのグラニュー糖の1/2量を加えて、さらに30秒〜1分泡立てる。

- ミキサー自体を回すスピードを10秒で6〜8周くらいに落とす。

8

残りのグラニュー糖を加え、ハンドミキサーを中速に落として30秒、中心に近いところも泡立ててきめを細かくする。続けて低速に落とし、ミキサー自体を回す速度もさらにゆっくりにして30秒泡立て、きめを整える。角の先がしなるような、しなやかなメレンゲにする。

- 気泡は密だがかたくはないソフトなメレンゲを作ると、生地に混ざりやすくて気泡も消えにくい。泡立て方と、卵白に対してグラニュー糖半量の配合が、このメレンゲの質感を作る。

9

メレンゲの1/4量を5に加えてゴムべらで手早く混ぜる。8のボウルに戻して、30回ほど大きく混ぜる。一度生地をまとめて6,7回混ぜる。

- 混ぜ方はp.8のB。

10

敷き紙を敷いた天板に流し入れ、カードで四隅にきちんと広げ、表面をならす。

- あまり何度もいじらないこと。全体に広げたら天板の4辺に沿って直線的にカードを動かし、最後に真ん中をならして表面を整える。

11

オーブンに入れて18〜20分、全体にきれいな焼き色がつくまで焼く。紙ごと天板からはずして網にとり、乾かないよう上に別の紙をかけて冷ます。

- 冷めるとふくらんだ生地がある程度沈む。
- 冷めたら紙ごとラップフィルムに包んで、涼しいところに置けば翌日仕上げることもできる。

12

生地が冷めたら巻く。生クリームにグラニュー糖を加え、氷水に当てながら八分立てにする。
→p.42へ

13

側面の紙をはがして、両端の盛上りを軽く押すようにしてならす。紙ごとひっくり返して底の紙を一度はがし、当て直してひっくり返して元に戻す。

14

12のクリームを隅まで平らにぬり広げる。紙を向う側に持っていきながら生地を巻く。中心あたりで一度きっちりととめてからくるりと巻き、巻終りを下にしておく。5分ほど冷蔵庫で落ち着かせてから、切り分ける。

● クリームだけ冷やすくらいのつもりで。生地まで冷たくしないほうがバターや卵の風味が広がっておいしい。残りは密閉して冷蔵庫で保存すれば翌日までもつが、少し室温においてほどよい温度にしてからどうぞ。

抹茶&小豆

［材料］（30cm角の天板1台分。細巻き2本分）

無塩バター（発酵）　38g
a ┌ 薄力粉　44g
　├ ベーキングパウダー　3g弱（小さじ¾弱）
　└ 抹茶　6g
牛乳　70g（冷やしておく）
b ┌ 卵　47g
　└ 卵黄　70g
メレンゲ
　卵白　150g
　グラニュー糖　75g
シロップ
　熱湯　10ml
　グラニュー糖　3g
小豆の甘煮　200g
┌ 生クリーム　185g
└ グラニュー糖　5g

［作り方］

1　薄力粉とベーキングパウダーを合わせてふるい、茶こしを通した抹茶を加えてaとし、「プレーン」と同様にして生地を焼く。

● 抹茶が入ると生地が締まるので、p.40の4では早めに火から下ろす。

2　生地が冷めたら紙をはずし、半分に切ってラップフィルムの上に置く。それぞれの上面に冷ましたシロップをはけで軽く打つ。

3　生クリームにグラニュー糖を加え、九分立てにする。半量ずつ端までぬり広げ、それぞれ真ん中に小豆を一直線に置く。今度はラップフィルムを向う側から手前に持ってきて生地を巻き、一重に巻いて形を整える。巻終りを下にして冷蔵庫で5分休ませる。厚めに切り分けてどうぞ。

■ メレンゲで、デコレーションケーキ
ヨーグルトクリームの
バシュラン

　メレンゲそのものを楽しむお菓子を一品。卵白を泡立てて焼くだけで、クリスマスやお誕生日などにもおすすめのデコレーションケーキが楽しめます。バシュランは、メレンゲとアイスクリーム、ホイップクリームを合わせたフランスの伝統菓子。これは「失敗しがち」とか「甘いだけ」など嫌われがちなメレンゲの印象を変えたくて、配合を工夫したもの。ホイップクリームにはヨーグルトを合わせ、果物をたっぷり飾ります。さっくりした軽快なメレンゲに、ほどよいこくと甘酸っぱさ。思う以上に食べてしまうと大好評のバシュランです。

[材料]（直径約18cm1台分）

メレンゲ
　卵白　72g
　グラニュー糖　100g
　レモン汁　小さじ1/2
　コーンスターチ　小さじ1弱
プレーンヨーグルト　約110g
　生クリーム　130g
　グラニュー糖　6g
いちご、パイナップル、
　キーウィフルーツなど
　合わせて150〜200g（正味）

●卵白は冷蔵庫でよく冷やす。できれば水気のないきれいなボウルごと冷やすといい。
●ベーキングペーパーに直径18cmの円形に印をつけ、天板に敷く。
●オーブンを120℃に温める。

{ ●お菓子のメレンゲを作るには、砂糖は卵白の倍量が基本だが、これはやっとたどりついた配合で、甘みは食べて心地よく、気泡の安定性を保てる量。分量を守れば泡立ては失敗が少ないので、計量を正確に。

[作り方]

1

メレンゲを作る。よく冷やした卵白にグラニュー糖少々とレモン汁を加える。ハンドミキサーの高速で2分半を目安にしっかりと泡立てる。

{ ●泡立て方はp.6参照。ミキサー自体を回すスピードは10秒間に25〜30周くらい。

2

高速で泡立てながら残りのグラニュー糖を3回に分けて入れる。グラニュー糖を加えるたびに30秒〜1分泡立てる。最後のグラニュー糖を加えたら、ミキサー自体を回す速度をゆっくりにする。

{ ●グラニュー糖を加えるとき、できれば泡立て続けながら加えると、粗いぼそぼそした感じになりにくい。

3

なめらかで角の先がおじぎをするようなメレンゲにする。

{ ●長く泡立てたり、泡立てる勢いが強すぎると、ぴんと角が立ってしまうので注意する。

4

コーンスターチを茶こしでふるいながら加える。

5

ゴムべらに替えてしっかりと混ぜ合わせる。

{ ●ここではp.8のBの混ぜ方ではなく、ぐるぐると大きくしっかり混ぜる。泡が消えることを恐れずにコーンスターチのむらができないよう手早くしっかり混ぜる。

6
1/3量をとり、ベーキングペーパーにつけた印に合わせてスプーンで広げる。

7
残りのメレンゲを縁にのせるようにスプーンで落としていき、1周して王冠のように形作る。

● 作業中に少しメレンゲがやわらかくなっても大丈夫。指も使ってスプーンから落とし、先がとがるようにのせていく。

8
オーブンで2時間～2時間30分ゆっくり乾燥させるように焼く。さわってみて表面が乾くまで焼く。オーブンの火を消してオーブンが冷めるまで入れておく。冷めたら取り出して、しけないように乾燥剤を入れて密閉する。

● 焼終りは、表面がちゃんと乾いていたら、やわらかさは残っていても大丈夫。
● 密閉後は、しけないよう保存すれば2、3日はもつ。あらかじめここまでしておけば、当日は飾りつけだけでOK。

9
クリームを作る。ヨーグルトの水をきる。ペーパーを敷いたコーヒーフィルターにあけて、冷蔵庫で2時間～2時間半おき、水きりをする。70gほどになるはず。

10
以下は、いただく少し前に作業する。好みの果物を一口大に切る。生クリームにグラニュー糖を入れ、氷水に当てながら泡立てる。分離しないように注意するが、短い角がぴんと立つまでしっかり泡立てておく。

● ヨーグルトと合わせるので、泡立てがゆるいとメレンゲに入れてから流れてしまったり、果物をのせるときにもつぶれやすくなる。

11
9のヨーグルトを加え、泡立て器で手早く混ぜる。

12
メレンゲにクリームを入れ、果物を彩りよく飾る。冷蔵庫で少し冷やし、いただくときに切り分ける。

● ちょっと冷えたころがいちばんおいしい。時間を逆算して仕上げ、絶妙のタイミングで味わえるのも手作りの醍醐味。メレンゲがしけないうちに、半日以内にいただく。

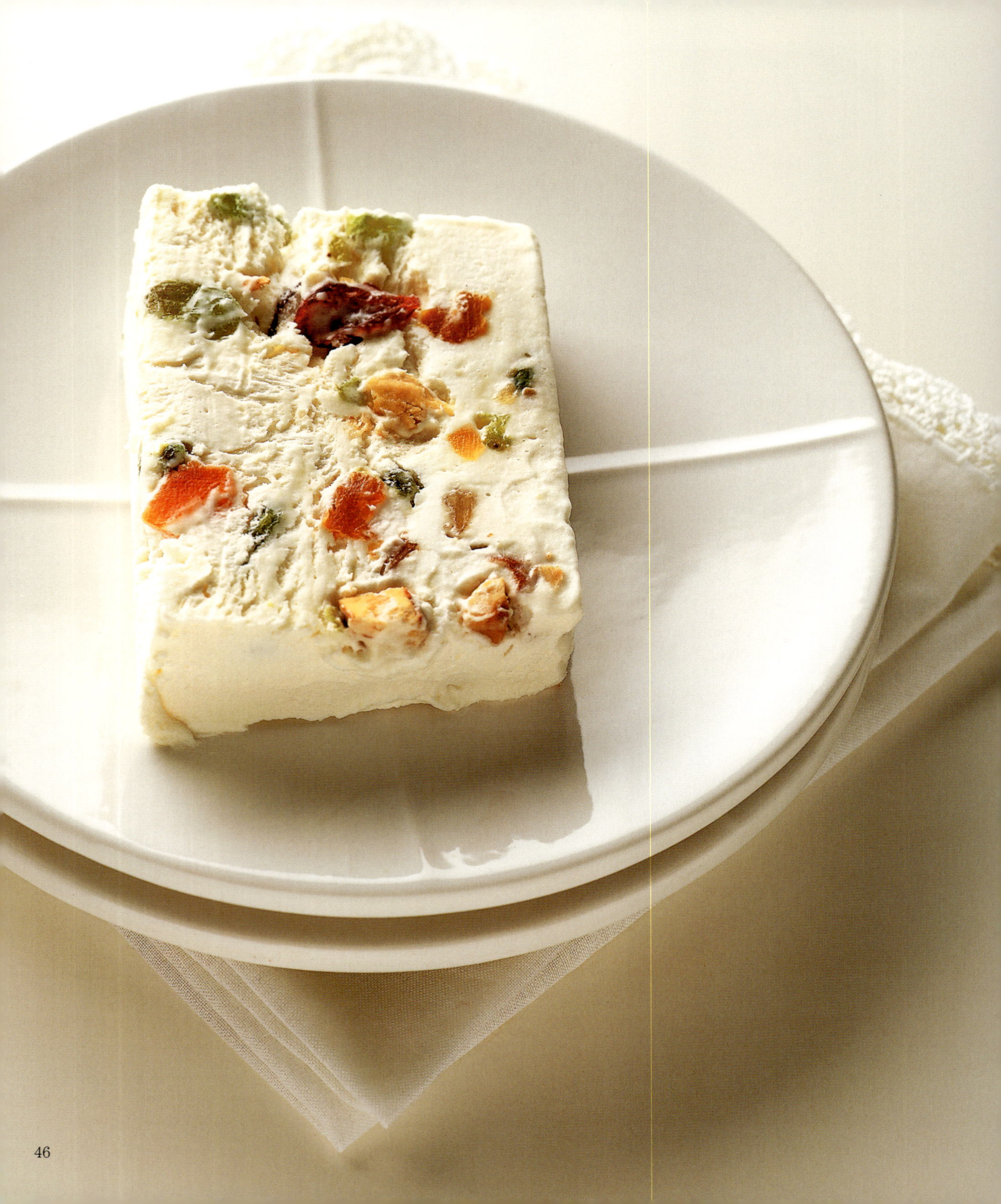

■ 冷たすぎない軽いアイスクリームと、
　しけないかりかりナッツのハーモニー

ヌガー・グラッセ

ナッツがぎっしり詰まった、ねっちりとした砂糖菓子、ヌガーをご存じですか。ヌガーのように仕立てた氷菓が、ヌガー・グラッセ。こちらは口どけのいいデザートで、作りやすさといい、手作りするならグラッセがおすすめ。ベースは軽く泡立てた生クリームとイタリアンメレンゲを合わせて冷やし固めるだけ。熱いシロップを加えて、安定性の高い、きめの細かい泡立ちにするのが、イタリアンメレンゲ。ここではシロップにはちみつを使って、こくと風味をプラス。中のナッツは、ローストしただけではすぐにしけるし、キャラメリゼするとその味ばかりが立ってしまうので、砂糖衣がけに。和菓子の五色豆のあの軽やかさに、もう少し香ばしさを加えた感じ。ミルクのこくが広がってとけるベースと、対照的に香ばしいかりかりナッツ、甘酸っぱいドライフルーツ……。ようやく納得のいくバランスに仕上がりました。

[材料]
（8×18cmのパウンド型1台分）

- ヘーゼルナッツ　15g
- くるみ　15g
- ピスタチオ　7g
- アーモンド　20g

● ナッツは、合わせて57g前後を守れば、好みの配合で大丈夫。

- クランベリー　15g
- レーズン（写真はグリーンレーズン）　40g
- ドライアプリコット　30g

● ドライフルーツは、合わせて85g前後ならどれか2種でも。好みの配合で。

a
- グラニュー糖　30g
- 水　10mℓ

イタリアンメレンゲ
　卵白　27g
　グラニュー糖　6g
b
- グラニュー糖　15g
- はちみつ　20g
- 水　少々

生クリーム　200mℓ

● 卵白は冷蔵庫で冷やす。冷凍保存しておいたものを解凍してもいい。
● 型にベーキングペーパーを敷き込む（底、側面に当てる）。

[作り方]

1 ナッツをほどよくローストする。それぞれ種類ごとに天板に置き、160℃に温めたオーブンに入れる。ピスタチオは3分で取り出し、くるみは6〜8分、アーモンドとヘーゼルナッツは15〜20分を目安に薄く色づいたものから取り出す。

- ナッツによって火の通り方が違うので、時間差をつけること。

2 ローストしたナッツは粗く刻む。ドライフルーツは、軽く洗って水気をよくふく。アプリコットは粗く刻む。

3 aを片手なべに入れて中火にかけ、混ぜて砂糖を溶かし、沸騰してから20〜30秒煮立てる。

- なべは内径16cm程度のものが作りやすい。なべの大きさが変わると火の入り方も変わるので注意。

4 2のナッツを入れて、絶えずへらで混ぜ、みつをからめながら煮つめる。

5 砂糖が白く結晶してナッツにからみはじめる。さらに混ぜながら煎って、香ばしくなり、薄茶色になりはじめたら火から下ろす。

- この煎りぐあいがポイント。足りないと、かりっとしない。煎りすぎると砂糖がとけてキャラメル化してしまうので注意。

6 すぐにバットなどにあけて広げ、一気に冷ます。ドライフルーツと合わせておく。冷蔵庫で冷やす。

7 イタリアンメレンゲを作る。まず、卵白にグラニュー糖（6g）を加えて泡立てはじめる。同時に小なべにbを入れて中火弱にかけ、軽く混ぜる。

- 泡立て方はp.6参照。ミキサー自体を回すスピードは10秒間に25〜30周くらい。
- イタリアンメレンゲの場合も、はじめからグラニュー糖少々を加えたほうが分離しにくい。
- このときのなべは、内径9cm程度が向く。

8 7のなべ中のbを110℃まで熱する。時々混ぜ、なべ肌についた糖分は水でぬらしたはけでぬぐう。卵白は泡立て続ける。

- 温度計がないときは、沸騰後30秒くらいそのまま煮立てるのが目安。

9
卵白が八分立てになったら、8の熱いシロップを加える。ハンドミキサーを低速にして泡立てながら、シロップを流し入れる。

● ボウルの下にかたく絞ったぬれぶきんを敷くといい。
● 泡立てる手を止めずにちょうどいい温度のシロップを入れるのが少し難しいが、ここを守れば失敗しにくいのでがんばって。

10
再び高速にして泡立て、卵白の粗熱が取れて、角が立ち、つやが出たら、ボウルごと氷水に当てる。

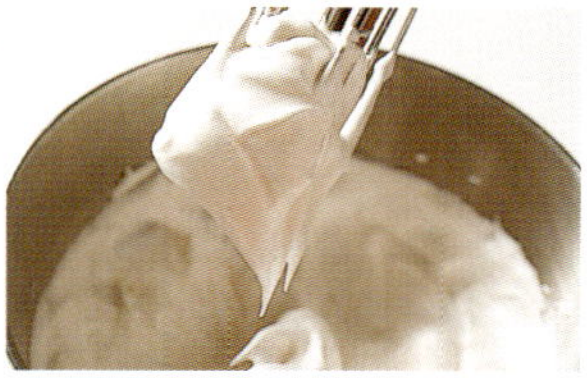

11
低速に落とし、ミキサー自体を回す速度もゆっくりにして、冷たくなるまでさらに泡立てて、しっかりしたメレンゲにする。そのまま氷水に当てておく。

● メレンゲが10℃以下を保つようにする。

12
生クリームを氷水に当てながら、六〜七分立てにする。持ち上げるとゆっくりとろとろと流れるくらい。

● ここで泡立てすぎないこと。メレンゲと合わせたときに分離したようになり、グラッセがとろけるような口どけにならない。が、泡立て方が足りなくてもふわりとした口当たりに仕上がらないので、とろとろと落ちるくらいを目指して。

13
ボウルを氷水に当てたまま、生クリームにイタリアンメレンゲの1/2量を入れてへらで大きく混ぜる。

● 混ぜ方はp.7のA。

14
6のナッツとドライフルーツも入れて、大きく混ぜる。残りのメレンゲを加えてさっくりと合わせる。

● ボウル自体を大きく回して少ない回数で混ぜるようにする。

15
用意した型に入れる。半分ほど入れたらトントンと底を打ちつけて空気を抜くようにならし、残りを入れて平らにならす。ラップフィルムをして、冷凍庫で半日以上冷やし固める。

16
いただくときに型から出して、紙をはずし、ナイフを熱湯で温めながら切り分ける。

● 残りは再び冷凍保存できる。2、3日のうちにいただく。長くおくと砂糖衣自体がアイスクリームの水分を吸うので、ナッツの食感がいいうちに楽しんで。

練ったバターで作れる、
さくさくの
パート・ブリゼで
● バナナとパイナップルのタルト
● キッシュ・ロレーヌ
● レンズ豆のキッシュ
● ルバーブのクランブルタルト
● 薄切りりんごのタルト・タタン

■ 共焼きは、クリームも果物も
たっぷりのせる

バナナと
パイナップルのタルト

タルトやキッシュの底生地に使うパート・ブリゼも、ミトン風はもたつきのなさや、バターや粉の風味にこだわっています。パートは「生地」、ブリゼは「砕けた」の意味。文字どおり、さくっともろく焼き上げます。生地作りは、バターの粒が粉の中に散っていて、これを水分でまとめているといったイメージです。この状態を作るために、多くの場合が冷えたバターと粉を手ですりつぶしながら混ぜます。実際なさったかたも少なくないはずで「手の温度でバターがとけてうまく混ざらなかった」「練りすぎてしまった」などの悩みを聞きます。このすり混ぜをしなくても、砕ける食感に焼き上がるレシピがこれ。焼くとちゃんと適度にパイのような層ができます。このパート・ブリゼで、まずは生地をから焼きする必要のない共焼きのタルトから。バナナとパイナップルというトロピカルな2種がアーモンドクリームと出合って焼き上がると、独特のしゃれた味わいになり、ファンが多いタルトです。

● パート・ブリゼは、型より大きくなる量をのす必要がある。このタルトでは1台に敷き込む量は180～190gで、のす量は約220gが適当。そこで一度に400g作り、まず半量強の220gをのして1台作り、この時切り落とした生地を残り(半量弱)に合わせて保存しておく。こうして次回に使用すると無駄が少ない。
● p.55～のキッシュやタルト用には、一度に300g弱作るほうが合理的なので併記した。
● 冷蔵で5日、冷凍で2週間は保存できる。

[材料]
（直径20cmのタルト型1台分）

パート・ブリゼ
（でき上り約400g分。
太字は300g弱分の場合）
　無塩バター　140g　105g
　薄力粉　　　210g　158g
　卵液
　　┌ 卵黄　8g　6g
　　└ 水　　37mℓ　27mℓ
　　グラニュー糖　4g　3g
　　塩　　　　　2g　1.5g
アーモンドクリーム
　無塩バター　75g
　グラニュー糖　75g
　卵　65g
　アーモンドパウダー　75g
バナナ　約100g（皮を除いた正味）
パイナップル　約200g（皮と芯を除いた正味）

● 焼く前日に生地をまとめ、冷蔵庫で一晩ねかせてから使う。

51

[作り方]
パート・ブリゼを作る
- バターは厚さを均一にして、室温に戻す。
- 薄力粉はふるう。

1 卵液の準備をする。卵黄と水をよく混ぜてから、グラニュー糖と塩を混ぜる。冷蔵庫で冷やしておく。

- まず卵黄と水を混ぜること。いきなりグラニュー糖と塩を加えると卵黄が固まってしまうので。

2 ボウルにバターを入れて、ゴムべらで練って全体を均一なやわらかさにする。

3 粉を一度に加えて、練らないようにゴムべらのエッジを使って切り込むように混ぜる。

- 混ぜ方はp.9のC。ただし、へらの面でなくエッジで切るようにする。
- へらにバターがこびりつくので、時々ボウルの縁できれいにはらう。

4 全体が細かいそぼろ状になり、白い粉だけの部分がなくなればいい。

5 冷やしておいた1の卵液を回し入れ、全体に水分が行き渡るように混ぜる。

6 卵液の水分がなじんでしっとりしたら、ボウルに押しつけるようにして一つにまとめる。

7 ラップフィルムにとり、2cmほどの均一な厚さに整える。きっちり包んで、冷蔵庫で一晩ねかす。

- この状態で冷蔵、または冷凍保存できる。冷凍の場合は、冷蔵庫で自然解凍して使う。

生地を型に敷く
- 型を冷蔵庫で冷やす。

- タルトを焼く2時間前までに生地を敷く。

8 生地を半量強切り、打ち粉（分量外）を少量ふった台に取り出す。四角い生地の角を台に打ちつけてつぶしてから、めん棒でたたいて、ある程度までのばす。

- バターの多い生地なので、冷えていてかたいうちから作業を始めないと、すぐにやわらかくなってしまう。めん棒でたたかないとのばせないくらいから始めて、全体をたたきながら、生地のかたさもとれるようにする。

9
のしやすいかたさになったら、めん棒で3mm厚さにのす。適宜、生地を90度回し、方向を変えてのし、その都度、台に軽く打ち粉をする。

10
生地を返して打ち粉のついた面が上になるようにして手早く型にかぶせる。型の隅まできっちりはりつけながら1周する。底全体も空気が入らないよう密着させる。

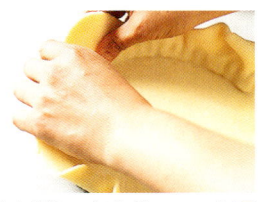

● 手早く、でも丁寧にぴったりと型に密着させる。まず型の立上り部分にきっちりとおさまるように生地を一度内側に折って角を作ってからはりつける。

11
型の上からめん棒を転がし、縁に合わせて余分な生地を切り落とす。

12
型の内側に指の側面を当て、タルト型のひだにそわせて生地を軽く押しつけ、さらに密着させる。同時に縁から2mmほど生地が高くはみ出るようにする。

● 焼き縮みするので、縁より生地が高くなっているようにして焼きはじめる。

13
フォークで底全体を平均に刺してピケする(空気穴をあける)。冷凍庫で2時間以上、再度よく冷やす。

● 密閉してにおい移りと乾燥に注意すれば、この状態のまま1週間ほど冷凍保存できる。冷凍せずに使う。

クリームと果物をのせて、焼く

● バターは厚さを均一にして、室温に戻す。

14
アーモンドクリームを作る。バターにグラニュー糖を加えて泡立て器で白っぽくなるまで混ぜる。卵を3回に分けて加え、その都度、泡立て器を立ててぐるぐると回し、空気が入らないように混ぜる。

15
ゴムべらに替え、アーモンドパウダーを加えて全体を混ぜる。

● まってりしていればいいが、だれているようなら冷蔵庫で一度冷やす。ただし、かたくなるまでは冷やさない。
● 冷蔵で4〜5日、冷凍で2週間保存できる。

16
オーブンを180℃に温める。13の生地の真ん中に15を入れる。へらで中心から縁にかかるようにのばしながら型ごと回して1周する。軽く中心をくぼませてならす。
→p.54へ

● 中心が少しふくらんで焼けるので、中心を低くしておくと平らに焼き上がる。

17

一口大に切ったバナナとパイナップルをのせる。まず、縁ぎりぎりまで並べる。

- 焼き縮みして、すきまができるとそこから焦げることがあるので、クリームも果物も生地の縁に重なるようにのせる。

18

果物を少しずつ重なるように並べていく。オーブンで50分〜1時間、しっかりとした焼き色がつくまで焼く。型から出して底生地をチェック。底がきつね色に焼けていなかったら、型に戻してさらに数分焼く。

- 共焼きの場合、のせる果物の重みがほどよくあることで、生地が型から浮き上がらずに下からの熱がきちんと入る。フィリングがたっぷりでおいしいので、一石二鳥。ただし、のせすぎると焼成中にクリームがあふれる。
- 粗熱の取れた、できたてのおいしさは格別。残りは、ラップフィルムで密閉して冷蔵庫へ。2〜3日保存できる。いただく分を切り分けて、オーブントースターかオーブンで軽く温め直してどうぞ。

---

column 03　オーブンのくせを知る

オーブンには、くせがあります。熱源の違いやコンベクションか否かはもちろんですが、個体差もあります。温度表示が同じでも、上火が強かったり、焼きむらが出たり……。自分のオーブンの特徴を知って上手につきあうことも、こつの一つです。

- 下火が強くて底が焼きすぎるようなら、天板を2枚重ねたり、オーブンパットを天板に敷いて一度試してみましょう。上火が強ければ途中で下段に移したり、途中までアルミフォイルをかぶせたりして焦げつきを防ぎます。
- 手前と奥で焼きむらが出るのもよくあることです。必要に応じて8割がた焼けたころに天板ごと奥と手前を入れ替えましょう。その際はなるべく手早く安全に。
- 時間どおりでは火の入り方が弱いようなら、指示の温度よりも10〜20℃高く、時間も長めに予熱します。お菓子を入れたら指示の温度に落とします。焼き時間が5分程度長くかかるのはかまいませんが、それ以上かかる場合は実際の焼成温度も10℃高くし、後半に指示の温度に下げてみます。一般的に電気のほうがガスよりも火力が落ちるので、注意してください。いずれも何度か試してこつをつかみましょう。
- 予熱後、お菓子を入れるときには扉の開閉を手早くして温度の低下を極力抑えるのは基本ですが、安全にスムーズに作業できるよう、オーブンミトンには軍手の2枚重ねがおすすめです。

■ から焼きで。
パート・ブリゼならキッシュも焼ける
キッシュ・ロレーヌ
レンズ豆のキッシュ

タルト生地には、ほかに
パート・シュクレ（砂糖入り）など、
そのまま焼けばサブレになるような
生地もありますが、ほんのり塩味の
パート・ブリゼならキッシュも作れます。
軽食やワインのおつまみにもどうぞ。
卵と牛乳たっぷりで
茶碗蒸しのようなフランス風も魅力がありますが、
ミトン流は、生クリームのこくがあって、
その分小ぶりなベルギー風。
パート・ブリゼのさっくりした食感も大切にした、
焼き菓子屋風のキッシュという感じです。

キッシュ・ロレーヌ

[材料]（直径15cmの深めで、底が抜けるタルト型1台分）

パート・ブリゼ（p.50。冷蔵庫で
　一晩ねかせたもの）　150g
ベーコン（薄切り）　2枚
ハム（薄切り）　20g
┌ 玉ねぎ　60g
│ 塩　少々
└ サラダ油　少々
グリュイエールチーズ　30g
アパレイユ
　生クリーム　120g
　牛乳　24g
　卵　48g
　塩、こしょう　各少々

● ここでは高さ約2.5cmのものを使用。

● 型に敷き込む量は120～130g。のす量は約150gが適当。300gの配合で作り、半量使うのがおすすめ。

[作り方]

1 p.52を参照して生地を型に敷き、冷凍庫で2時間以上ねかせる。違いは以下の3点。厚さ4mmにのすこと、ピケはしないこと、縁から生地をはみ出させて高くする必要がないこと。

2

● 切込みが不充分でしわが寄ったり、一部が浮いたりしたまま敷かないこと。ぴったり密着させておかないと重しのかかり方にもむらができる。生地が縁より下がって焼けてしまい、アパレイユがそこから底に回ったりして、失敗の原因に。

オーブンを190℃に温める。ベーキングペーパーを直径18cmの円形に切り、周囲に1～1.5cm間隔で3cm深さに切込みを入れて、生地に密着するように角まできっちり敷き込む。

3 重しを縁ぎりぎりまでのせる。オーブンに入れて約30分、から焼きする。

4

● 焼き色が全くついていないときは、重しなしでそのまま再びオーブンに入れて、薄い焼き色がつくまで焼く。ただし、焼きすぎないほうがおいしいので慎重に。

オーブンから出してペーパーごと重しを取り、焼けぐあいをチェック。うっすら焼き色がついていたらそのまま粗熱を取る。

5 ベーコンは5mm幅に切って、フライパンで炒め、脂が出たらキッチンペーパーにとって余分な脂を吸わせる。ハムは1cm角に切る。玉ねぎは粗みじん切りにして、サラダ油で色づくまで炒め、塩をふる。チーズは5～6mm角に切る。

6 オーブンを180℃に温める。アパレイユを作る。卵をといて生クリームと牛乳を加え、泡立て器で混ぜる。網でこして、塩こしょうする。

● 牛乳を加えることで、生クリームのこくにあっさりしたおいしさもプラスする。

7

● 冷めてしまったら、いただく分を切り分けて、オーブントースターかオーブンで温め直してどうぞ。残りの保存は冷蔵庫で。翌日までにいただく。

4の生地に5を広げて、6のアパレイユを注ぎ入れ、オーブンに入れて約20分、少し焦げ目がつく程度に焼いて取り出す。少しおいたら型から出して、粗熱が取れたくらいでいただく。

レンズ豆のキッシュ

[材料]（直径15cmの深めで、底が抜けるタルト型1台分）

パート・ブリゼ（p.50。冷蔵庫で
　一晩ねかせたもの）　150g
┌ レンズ豆の煮物　100〜120g
└ 塩　少々
アパレイユ
　　生クリーム　100g
　　牛乳　20g
　　卵　40g
　　塩、こしょう　各少々

[作り方]
レンズ豆の煮物を作る

[材料]（1回分の目安）

レンズ豆（乾燥）　100g
ベーコン（薄切り）　40g
　（細切りにする）
玉ねぎ　中 $\frac{1}{3}$ 個
　（4〜5mm角に切る）
にんじん　小 $\frac{1}{2}$ 本
　（4〜5mm角に切る）
塩、こしょう　各少々
サラダ油、バター　各少々

- そのままでおかずとして、葉野菜と一緒にサラダにして……重宝な常備菜。
- レンズ豆は、フランス産の皮つき緑レンズ豆がおすすめ。粒が小さくて、独特のこくがおいしい。

1 レンズ豆は水洗いしてから、充分かぶるくらいの水を加えて火にかける。沸騰したらざるにあけてゆでこぼす。

2 なべに熱したサラダ油でベーコンを炒める。脂が出たらバターを加えてとかし、玉ねぎを炒める。にんじんも加え、塩こしょうして炒める。レンズ豆を入れ、ひたひたの水を注ぎ、弱火にしてふたをし、豆がやわらかくなるまで20分ほど煮る。同時に煮汁がほぼなくなるように煮て、一度冷ます。

キッシュを焼く

3 レンズ豆の煮物100〜120gをとり、そのまま食べるよりも強めの塩味に調える。「キッシュ・ロレーヌ」の具を、レンズ豆の煮物に替えて同様に作る。アパレイユを流した後のオーブンの温度は180℃、焼き時間は約20分。

---

column 04　タルト生地の穴あきチェック

1 から焼きした生地に穴があいていると、アパレイユが外側にしみてしまい、型からはずれなくなったり、さくっと焼けなかったりする。から焼き後、粗熱が取れたら型からはずして、光に透かして見てみる。穴やひびがあるとすぐにわかる。

2 生の生地（パート・ブリゼ）を適宜とり、穴をふさぐように外側からはりつけて型に戻す。アパレイユを流して同様に焼く。外側にはっておけば生の生地も焼けるので大丈夫。縁が沈んだり、欠けてしまったときも生の生地を継ぎ足せば修復可能。

■ さっくりした生地も甘酸っぱいジャムも、ボリュームたっぷりに

ルバーブの
クランブルタルト

夏から秋にかけてルバーブのお菓子を焼きます。
ふきに似たこの野菜を加熱すると、
酸っぱい香りに満ちるのが不思議です。
ジャムもよく作りますが、ルバーブのタルトは、
一度から焼きした生地の上で、
ルバーブをジャム状に煮ながら
オーブンで焼き上げるような感覚で作ります。
既にジャムとして完成したものをぬって焼くと、
歯につくようなねっちりとした
仕上りになってしまいます。
口どけのいいルバーブと、香ばしいクランブル。
温かみある味わいのミトン流パート・ブリゼを、
厚めに焼くとよく合います。

［材料］
（直径20cmのタルト型1台分）

パート・ブリゼ（p.50。一晩冷蔵庫
　でねかせたもの）　約300g
［ルバーブ（葉柄）　350g
　グラニュー糖　90g
フランボワーズジャム　25g　｝ ●p.65を参照して手作りしたものでも、市販品を利用してもいい。いちごジャムでもいい。
クランブル
　薄力粉　25g
　アーモンドパウダー　25g
　グラニュー糖　19g
　塩　軽くひとつまみ
　無塩バター
　　（できれば発酵）　16g

● バターは1cm角に切り、冷蔵庫で冷やす。

［作り方］

1　p.52を参照して生地を型に敷き、冷凍庫で2時間以上ねかせる。違いは以下の3点。厚さ5mmにのすこと、ピケはしないこと、縁から生地をはみ出させて高くする必要がないこと。

2　p.56を参照して、から焼きする。オーブンの温度は200℃で20〜23分。

3　ルバーブは洗って水気をきり、3cm長さのぶつ切りにして、なべに入れ、グラニュー糖をまぶしてそのまま10〜20分おく。

4
ルバーブから水気が出たらふたをして蒸煮にする。4〜5分で竹ぐしがすっと通るくらいになったら、すぐにざるに上げ、汁と分ける。汁はなべに戻す。この後もルバーブから汁が落ちるのでボウルに受けておく。

● ルバーブによってやわらかさがかなり違うので、煮くずれないように様子を見て煮る。

5
汁を火にかけ、2/3量ほどに煮つまったら、ルバーブをボウルに落ちた汁ごと戻し、そのまま冷ます。

6
クランブルを作る。バター以外の材料をボウルに入れて混ぜる。冷たいバターを加えて指でもみ込むようにしてなじませる。時々ぎゅっと握ってまとめてからほぐすと、むらなく混ざりやすい。冷蔵庫に入れておく。

7
オーブンを190℃に温める。2の生地にジャムをぬり、5を流し入れて均一に広げる。

● ルバーブの質や加熱ぐあいによって、汁気が残るときがあるが、かなり水っぽくても大丈夫。

8
クランブルを散らす。時々軽く握って塊も作りながら散らす。オーブンに入れる。

9
クランブルのすきまからルバーブが沸騰してブクブクと沸いてくる。35分前後、クランブルにおいしそうな焼き色がつくまで焼く。中のルバーブがほどよく煮つまっているはず。

10
オーブンから出し、ふきこぼれたルバーブが冷えて固まる前に型からはずす。粗熱を取り、温かさが残るくらいでどうぞ。

● 保存は、「バナナとパイナップルのタルト」p.54と同様。

■ パート・ブリゼでもう一品
りんごに早く確実に火を通す方法で

薄切りりんごの
タルト・タタン

生地とフィリングを普通と逆にして焼くお菓子。
ひっくり返すと現われる香ばしいつややかなりんごが
なんとも魅力的です。でも、りんごを均一に
こくのあるカラメル状に焼くのは、なかなか大変。
日本のりんごは紅玉を使っても水分が多いので、
時間もかかるし一定しないのです。
こういうときは伝統的レシピにこだわらない
手抜きの発想も役立ちます。
りんごは、四つ割りにしてそれぞれ薄く切ってしまってから、
ぎゅっと詰めます。上下からの火が早く入って、
砂糖もバターもしみ込みやすくなるわけです。
カラメルも先にちょうどいい濃さに作って、
型に流してしまいます。りんごの焼き汁で
一度は薄まりますが、焼き上がるころには
また煮つまって、ちょうどよくなるというわけです。

[材料]
（直径15cmのスポンジ型1台分）

パート・ブリゼ（p.50。冷蔵庫で
　一晩ねかせたもの）　100g
紅玉りんご（小）
　約3個（正味500～550g）
無塩バター　30g
グラニュー糖　20g
カラメル
　グラニュー糖　50g
　湯　小さじ2
卵　少々

● 型は底が抜けない
　タイプを使う。

● バターは小角に切って、室温に戻す。
● 型の内側にバター（分量外）をぬる。
● オーブンを200℃に温める。

[作り方]

1 p.52を参照して生地をのす。厚さは3～4mm、型より少し大きな円形にのす。

2 型を逆さに当てて切り、ピケして（空気穴をあける）冷蔵庫でねかせる。

3 りんごは、皮をむき、四つ割りにして芯を取る。4～5mm幅の薄切りにして、形を残しておく。

4

カラメルを作る。なべを強火で熱して、グラニュー糖を全体にふり入れる。加熱し、外側がとけて色づいてきたらへらで混ぜる。さらに加熱し、色づいて細かい泡が大きくなってきたら火から下ろして、湯を加える。

● はねるので注意する。

5

すぐに手早くかき混ぜる。写真のような濃いカラメル色になればいい。

● 焦げて色が濃くなりすぎると苦みが出るが、色づきが足りなくても、普通のタルト・タタンより焼き時間が短いので、もの足りない仕上りになりがち。

6

カラメルに熱があってやわらかいうちに型に入れて、バターの半量を散らす。

7

りんごを芯のほうが上になるように1段目はぎっしり詰める。グラニュー糖の半量をふる。

● 底が表になるわけなので、りんごを詰めたら切れ目が少しずつずれるように押さえると、仕上りがきれい。

8

残りのりんごを、今度は芯のほうが下になるように並べる。ぎゅっと手で押して均等に詰める。

9

残りのバターを散らし、残りのグラニュー糖もふる。オーブンに入れて焼く。

10

約25分、りんごのところどころに焼き色がつき、焼き汁がふつふつと沸いてきたらオーブンから出す。へらで全体を平らに押し込むようにする。

● 周囲にシロップ状の焼き汁が上がってくるはず。

11

すぐに冷蔵庫から出したての冷たい2の生地をのせる。周囲は少しずつ内側に押し込む。

12

表面にといた卵をはけでぬり、再びオーブンに戻して25〜30分焼く。

● こんがり焼き色がついて、生地の周囲をへらで押しても汁があまり上がらなくなるまで焼く。すきまから蒸発するので、まるで落しぶたをしてりんごを煮る感じ。

13

オーブンから出したら、周囲にパレットナイフをさして取り出しやすいようにしておく。型のまま冷まし、落ち着いたら皿に返して型から出す。

● 冷蔵庫でよく冷やすとくずれにくくなって、型から抜きやすい。その場合は抜く前に、揺すると動くようになるまで型の底を軽くじか火にかける。
● 生地がしけないうちにどうぞ。甘みを控えてりんごの風味を生かしているので、たっぷり切り分けるのがおすすめ。

オーブンで
煮つめるように
仕上げるお菓子
- ルバーブのクランブルタルト（p.58）
- 薄切りりんごのタルト・タタン（p.60）
- リンツァートルテ

［材料］
（直径18×高さ4.5cmのセルクル1台分）

生地
　無塩バター（発酵）　120g
　グラニュー糖　78g
　卵　48g
　薄力粉　120g
　スポンジ生地　40g
　ヘーゼルナッツパウダー
　　115g
　塩　ひとつまみ
　シナモンパウダー　3g
　ナツメッグ（おろす）　小さじ1
　クローブ　3粒
⎡フランボワーズジャム（p.65）
⎢　70g
⎣水　20ml
ヘーゼルナッツ　35g
アーモンドスライス　少々

● スポンジ生地は、焼けた上部を切り落としたものなどでいい。少し甘くなるが、市販のカステラでもいい。

■ リンツァー生地はリッチだけど軽やかに、ジャムはとろりと仕上げる

リンツァートルテ

ウィーンの伝統菓子ですが、私が感動したのはパリのパティスリーの味でした。ナッツとスパイスの風味豊かな生地でジャムをはさんで焼くこのお菓子、ウィーンにもさまざまな配合のものがありましたが、どれもかために焼かれた生地に、ジャムがねっちりとはさまれているイメージでしたから、外は香ばしいのに中はしっとりとしていて、口どけのいいジャムがなじんでいるおいしさに出合って感動したのです。ジャムについては工夫は簡単。既にちょうどいいぐあいのジャムがオーブンの中でさらに煮つまることを考えて、水で薄めて使います。生地はクッキーやタルトというより、パウンド生地を作る感覚でバターをよく泡立て、口どけよく焼き上げます。そして、これも焼きすぎないほうがおいしいお菓子。半生菓子と考えてください。ひきたてのスパイスで、ヨーロッパらしいエキゾティックな味わいに仕上げましょう。下ごしらえがちょっとめんどうかもしれませんが、お菓子作り大好きなかたにはぜひ挑戦してほしい一つです。

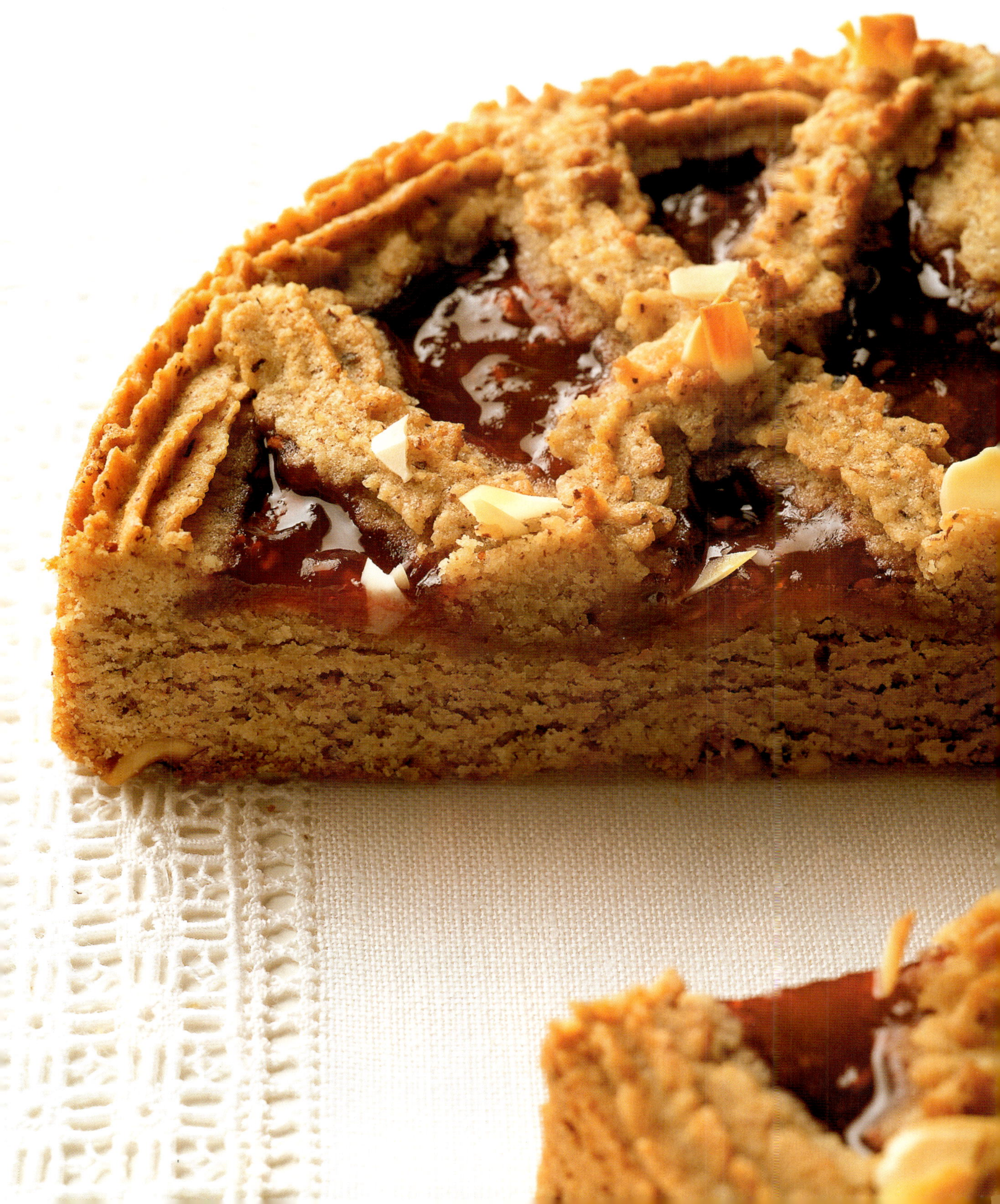

[作り方]

下ごしらえをする

1. バターを約1cm厚さに均一に切って、ラップフィルムに包み、20℃前後にする。
   - ● p.28参照。

2. スポンジ生地を目の粗いざるで裏ごしする。手でざるを通すようにこする。

3. ナツメッグは、おろし金でおろす。
   - ● パウダーを使うのと、おろしたてでは香りの立ち方が違うのでホールがおすすめ。

4. クローブは、厚手のビニール袋などに入れ、めん棒でたたいて粉状にする。

5. ヘーゼルナッツは、180℃のオーブンで15分ほどローストし、冷ます。1個を6等分くらいになるよう刻む。

6. ジャムを水で溶いて薄めておく。

焼く

- ● セルクルの内側にバター(分量外)をぬる。
- ● オーブンを170℃に温める。
- ● スポンジ型を使ってもいい。できれば底のはずれるもので、内側にバターをぬり、底には丸く切り抜いたベーキングペーパーを敷く。

7. バターにグラニュー糖を加えて、ハンドミキサーの高速で4～5分、ふわっとするまでよく泡立てる。
   - ● 泡立て方はp.6参照。ミキサー自体を回すスピードは10秒間に20～25周くらい。

8. といた卵を3回に分けて加え、その都度約1分泡立てる。
   - ● 本来はリンツァートルテのバターはここまで泡立てないが、パウンドケーキ同様、バターをよく泡立てて、クッキー状のかたいものではなく、口当たりのいい軽さに焼き上げる。

9. 生地の残りの材料をすべて合わせる。

10. 8のボウルに9を一度に加え、ゴムべらで混ぜる。
    - ● 混ぜ方はp.7のA。すべてがなじんで粉気がなくなったら、それ以上は混ぜない。

11

ベーキングペーパーを敷いた天板にセルクルを置き、ヘーゼルナッツを散らす。

● これも本来は入れないようだが、軽やかな生地に対してめりはりが生まれる。香ばしさも加わる。

12

10の生地約340gを11の上に入れて、カードや指先を使って広げる。表面を平らにならす。

13

残りの生地を直径10mmの八角星形（または、星形）の口金をつけた絞り出し袋に入れて、縁にぐるりと1周絞り出す。

14

水で薄めたジャムを入れて、へらで広げる。

15

13の残りの生地をジャムの上から格子状に絞る。縁から縁へ3本絞り、斜めに交差させて同様に3本絞る。

16

アーモンドスライスを格子状の生地の上に散らす。

17

オーブンに入れて25〜30分、上面に少し焦げ目がつくくらいまで焼く。オーブンから出したらすぐに型をはずし、少し冷めてしっかりしてきたら網にのせて冷ます。

● 熱いうちに型をはずして冷ますことで、蒸気が抜け、外側の生地がさっくりと仕上がる。スポンジ型を使った場合も、少しおいて落ち着かせたらなるべく早く取り出すようにする。

---

column 05　フランボワーズジャムの作り方

材料（1カップ強分）
フランボワーズ（冷凍でもいい）　150g
水　33ml
a ┌ ペクチン　2g
　└ グラニュー糖　13g
水あめ　59g
グラニュー糖　110g

1 フランボワーズと水をなべに入れ、泡立て器でつぶしながら中火強にかける。一煮立ちしたら火から下ろす。

2 合わせたaを加えてよく混ぜる。再度火にかけて時々混ぜながら2分煮立て、水あめ、グラニュー糖を入れて、よく混ぜる。4分ほど、ふつふつと静かに煮立つくらいの火加減で煮つめる。

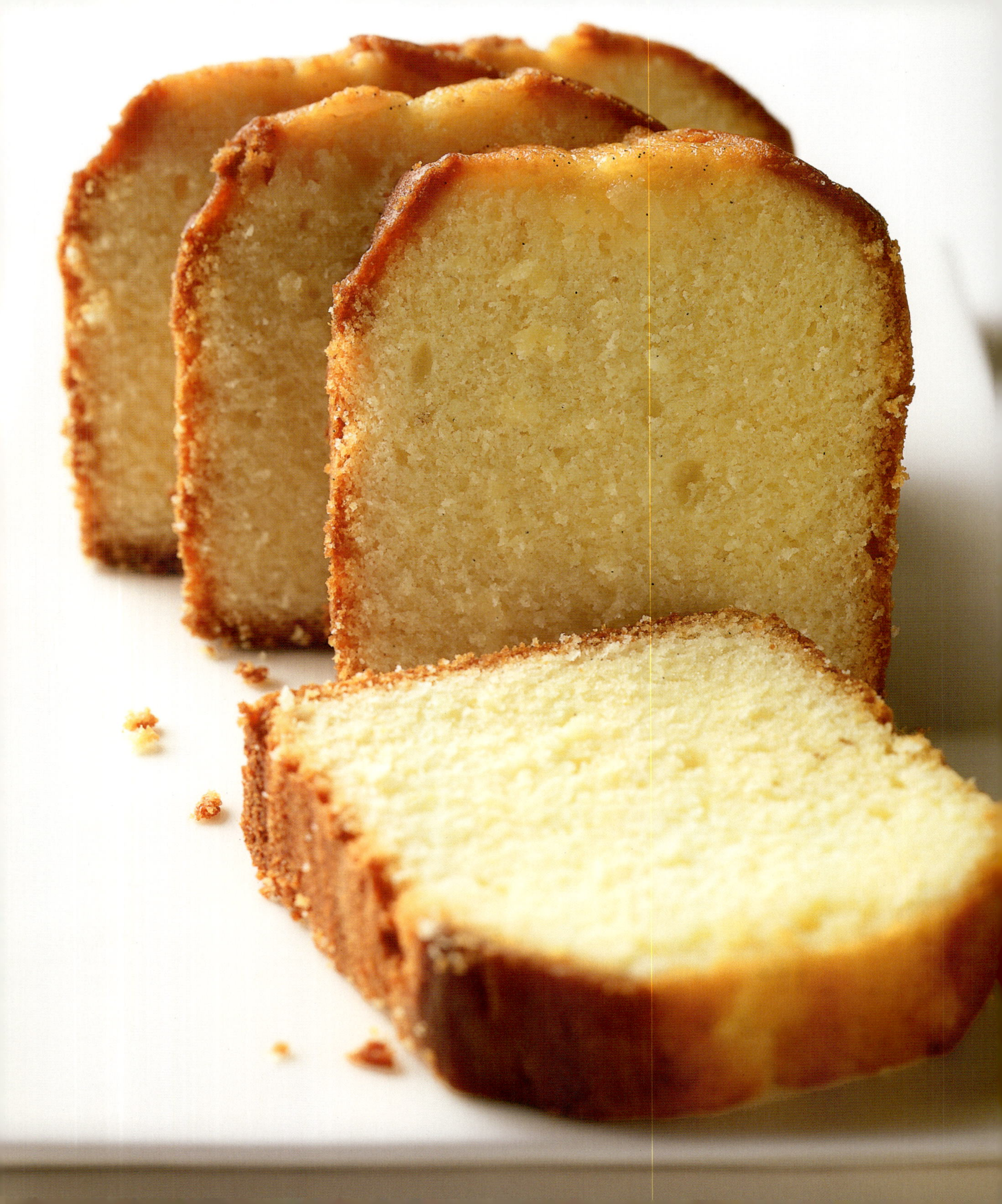

泡立て方と
粉の混ぜ方が、
違いを生む
パウンドケーキ
● バニラのパウンドケーキ
● オレンジのサマーケーキ

■ バターは「白っぽく」ではなく
5分泡立て、
粉を入れたら「さっくり」ではなく
80回近く混ぜる

バニラの
パウンドケーキ

焼きっぱなしのパウンドケーキは、一度は手作りしたくなる焼き菓子の原点のようではありませんか。でも、思うように焼けないという声もよく聞くお菓子です。重い生地やのどに詰まるようなぱさつきが気になる、というのが大概の理由。ミトン風パウンドケーキは、ほかでは食べたことがない、というほめ言葉をちょうだいするものの一つです。きめ細かで、しっとりしていながら軽やかなのが自慢。泡立て方と粉の混ぜ方に特徴があります。バターを泡立てるときはハンドミキサーで5分はかけます。卵を加えるたびにさらに泡立てて気泡をたくさん含ませ、その後、粉を入れたら、へらの面を目一杯使ってきっちり混ぜます。強い気泡ができていれば、80回くらい混ぜても消えることはなく、むしろ気泡を支える粉の力を引き出すことができ、むらのない口どけのいい生地になるのです。このプレーンなパウンドケーキは、バニラのシロップを打つので、香り高くなると同時に3、4日後でもしっとりとしたおいしさが続きます。

[材料]（9×21×深さ7cmのパウンド型1台分）

無塩バター（発酵）　120g
グラニュー糖　120g
卵　102g（バターの85%）
バニラビーンズ　1/5〜1/4本
┌ 薄力粉　120g
│ ベーキングパウダー
└ 　1g強（小さじ1/4強）
シロップ
　水　40ml
　グラニュー糖　9g
　バニラのさや
　　（種を取った後のものでいい）
　　　1/5〜1/4本

● バニラは種をさやからこそげる。
● 型に敷き紙を敷き込む（四隅に切込みを入れて、底と側面にぴったり当てる）。
● 薄力粉とベーキングパウダーを合わせてふるう。
● オーブンを180℃に温める。

● 火の通りが均一な、ブリキ製がおすすめ。ステンレス製は横からの熱が入りにくい。

● バター、砂糖、卵、粉を同量ずつ使うのが、基本的パウンドケーキ。ミトン風は卵をバターの85%にしている。バターをよく泡立てて作るため、液体に近い卵が多く入ると分離し、その後の泡立ちも悪くなるから。また仕上りの生地の焼き縮みも大きくなりがちなので。

[作り方]

1

バターを約1cm厚さに均一に切って、ラップフィルムに包み、20℃前後にする。ボウルに入れてグラニュー糖を加え、ゴムべらですり混ぜる。

● p.28参照。
● 温度計がない場合は、指がすっと入るくらいのやわらかさが20℃の目安。
● 室温が低いときはやわらかめのバターから始め、室温が高いときはかためから始めて、なるべく作業中もバターを20℃前後に保つ。

2

ハンドミキサーに替えて泡立てる。タイマーを5分にセット。写真のようなふわふわのクリーム状になるまで泡立てる。

● 泡立て方はp.6参照。ミキサー自体を回すスピードは10秒間に20〜25周くらい。
● 5分でここまで泡立たないときは、回転数やミキサー自体の回し方が足りないのでスピードアップを。バターの温度も見直してみる。

3

といた卵を4回に分けて加え、その都度2分ずつ泡立てる。

● ここでも室温に応じて卵の温度に気を配る。室温が15℃より低めのときは湯せんで30℃程度に温めた卵を、25℃以上のときは15℃前後に冷やした卵を加えるといい。

4

4回目の卵を加えてから2分間泡立てる。気泡をたくさん含ませ、かさが倍以上になり、きめの細かいクリーム状になるようにする。

● 多少分離しかかっても大丈夫。それよりも泡がよく立って気泡を保つ約20℃を意識する。

5

バニラビーンズを4の生地の一部分にゴムべらでよくなじませ、塊をなくしてから全体に混ぜる。

● いきなり入れると混ざりにくく、むらが残りやすいので注意。

6

● 混ぜ方はp.7のA。

粉を一度に加え、へらで大きく混ぜる。粉気が見えなくなっても続けて混ぜる。ふんわりしているがなめらかさが出て、つやもある生地になるよう、全部で80回前後混ぜる。

7

へらで型に数回に分けて入れる。ふんわりと落としていく感じ。

8

真ん中をへこませて両端を高くし、表面を整える。型ごとトントンと落として余分な空気を抜く。敷き紙の四隅を軽く引っ張って角をきっちりと整える。オーブンで35〜40分焼く。

9

焼いている間に、シロップを作る。バニラのさやを3、4等分に切って香りが出やすいようにし、シロップの残りの材料とともに小なべに入れる。火にかけて、さやから香りを引き出すようにへらで軽くつぶしながら、沸騰しはじめたら弱火にして1〜2分煮る。火から下ろしておく。

10

ケーキのふくれて割れた部分にもうっすら焼き色がついたらオーブンから出す。熱いうちに型から出し、紙をつけたまま上面にのみシロップを全量打つ。

● 保存は、冷めたらポリプロピレン製の製菓用透明シートで（なければラップフィルムを2重にして）包み、冷蔵庫に入れる。乾燥を防ぐため、紙ははがさない。いただくときは室温に戻す。
● 当日から4日目までが食べごろ。

column 06 バニラのパウンドケーキを「キッチンエイド」で作る場合

1

● ここで使用した機種は「KSM5」。

p.68の1を参考にバターを20℃にする。専用のボウルにバターとグラニュー糖を入れる。

2

● 機種により速度に差があるので、左記は目安。最高速度の3割程度、つまり高速は不適当。

ビーターをセットし、速度を10段階なら3にセットして泡立てる。

3

ゴムべらで側面に散ったバターをはらいながらむらなく混ざるようにして、全体がなじんだら、同じ速度のまま5分泡立てる。かさが約2倍になって白いクリーム状になるまで泡立てる。泡立ちが足りなかったら、もう少し泡立てる。

4

● この間、約20℃を保つよう卵の温度で調整するのは同様。

へらで側面をきれいにはらい、卵を4回に分けて入れる。その都度2分半泡立て、側面もはらう。

5

全体がふんわりとするまで泡立てたら、機械からはずしてバニラビーンズをp.69の5と同様になじませる。

6

● 目指す生地の状態は、p.69の6を参照。

粉を一度に加え、ゴムべらで混ぜる。混ぜ方の基本は同様だが、キッチンエイドのボウルには中心に突起があるので、そこをぎりぎり避けてなるべくボウルの直径を通るようにする。また深さがあるのでへらを縁まで持ち上げる必要はなく、生地を全部すくった段階で返し、生地を中心に落とす。80回前後混ぜたら、p.69の7へ。

■ 冷やしてもかたくならない
　パウンドケーキ
オレンジの
サマーケーキ

バター、卵、柑橘の香りという
揺るぎない取合せの伝統的フランス菓子、
ガトー・ウィークエンドのアレンジです。
日本の夏はバターたっぷりの
パウンドケーキが敬遠されがち、
酸味のきいたウィークエンドを少しひんやり
感じるくらいで食べてはどうだろう……
でもパウンドケーキを冷やすと、
バターが固まって生地が
ぼそぼそとしてしまいます。
冷蔵してもかたくならないサワークリームを使う
レシピをヒントにして焼き、
さらに生地にオレンジ果汁を
全面からしみ込ませました。
口の中でとけると同時に香りが広がります。
卵を先に泡立てる手法のパウンドケーキです。

［材料］（9×21×深さ7cmのパウンド型1台分）

卵　115g
グラニュー糖　125g
［無塩バター　84g
　サワークリーム　42g
オレンジ　適宜（皮1個分、果汁120ml）
薄力粉　125g
あんずジャム　50～60g
グラス・ア・ロー
　レモン汁　8ml
　水　8ml
　粉糖　適宜（70g強）

● 火の通りが均一な、ブリキ製がおすすめ。

● できれば国産のノーワックスのもの。清見オレンジかネーブルオレンジがおすすめ。

● ジャムは市販品でもいい。

● オレンジは、表皮をよく洗ってすりおろし、果汁をしぼってこす。
● 型に敷き紙を敷き込む（四隅に切込みを入れて、底と側面にぴったり当てる）。
● 薄力粉をふるう。
● オーブンを180℃に温める。

［作り方］

1 
卵をほぐし、グラニュー糖を入れて、泡立て器でよく混ぜる。湯せんにかけてグラニュー糖を溶かし混ぜながら、40℃程度まで温め、湯せんからはずす。続けて3へ。

2 
別のボウルにバターとサワークリームを合わせて、3の作業と並行してタイミングを見計らい、湯せんでとかす。40～50℃を保つ。

3 
1をハンドミキサーの高速で5分前後を目安に泡立てる。すくうとたらたらと落ちて、一度跡が残ってから消えるくらいまで泡立てる。

● 泡立て方はp.6参照。ミキサー自体を回すスピードは10秒間に15～20周くらい。
● 共立てで、砂糖が多い配合なので、よく泡立ってもこのくらい。5分程度かけてしっかり泡立てる。

4 
ハンドミキサーを低速にし、正面手前の中心より縁に近い位置で固定する。10～15秒ごとにボウルを時計と反対方向に60度程度回して泡立てる位置を変えながら、2分ほどかけて全体のきめを整える。

5 
2にオレンジの皮のすりおろしを加え混ぜ、これを4に入れて泡立て器で手早く混ぜる。

● 底にバターが沈んでたまりやすいので、底から大きく混ぜる。

6

薄力粉を再度ふるいながら入れ、ゴムべらで大きく混ぜる。粉気が見えなくなっても続けて混ぜ、ふんわりして、つやもある生地になるよう60〜70回混ぜる。

- 混ぜ方はp.7のA。
- 卵にきめの細かいしっかりした泡が立っていれば、泡は消えずに、つやのある生地になるはず。「バニラのパウンドケーキ」よりもやわらかく仕上げたいので、混ぜ終りも、よりふんわりしている生地にする。

7

生地を型に流し入れる。型ごと軽くトントンと落とし、表面をならしながら空気を抜く。オーブンで40分焼く。ふくらんでできる割れ目にも薄い焼き色がつくくらい。

8

型から出し、2〜3分おいて紙をはずす。熱いうちにオレンジ果汁を全面にしみ込ませる。はけにたっぷり果汁を含ませ、たたくようにして均一にしみるように打つ。1面ずつ打ち、底面にも打つ。上面は少し多めにする。

9

網の上で冷まし、完全に冷めたら、あんずジャムを小なべで熱くしたものを底以外にむらなくぬる。30分以上、室温で乾かす。指でさわると、べたつくが何もついてこなくなるまで乾かす。

- はけ、またはパレットナイフを使ってぬる。薄い膜を作るようにむらなくぬるのがこつ。

10

グラス・ア・ローを作る。水とレモン汁を合わせ、ふるった粉糖の$\frac{1}{5}$量を泡立て器で混ぜる。よく混ぜながら残りの粉糖を少しずつ加え、持ち上げて落とすと跡が残ってもすぐに消えるくらいのとろみに加減する。

11

網の上でケーキの上面と側面に、グラス・ア・ローをはけかパレットナイフでむらなくぬる。230℃に予熱してから210℃に落としたオーブンに入れて、1〜2分、表面が透明になるように焼く。

- グラス・ア・ローをぱりっと仕上げる。電気オーブンの場合は20℃ずつ高く設定したほうがいい。1〜2分で角のあたりがプツプツと沸いてくるくらいがちょうどいい。

12

オーブンから出し、網の上で冷ます。冷蔵庫で少し冷やしていただく。

- 衣がとけてくるので、冷蔵庫に長く入れないようにする。衣をかけたらなるべく早くいただく。
- 夏向けに軽く冷やすことを考えて作ったが、焼きたてが冷めたころの、ふわっとした食感もおすすめ。お好みで。
- 作り方8の後、密閉して冷蔵すれば2日ほどもつ。室温に戻して、ジャムをぬるところから仕上げる。

絶妙の口どけに
冷やし固めるお菓子
● はちみつのブランマンジェ
● コーヒーのブランマンジェ
● ジャスミンティーのブランマンジェ

■ 生クリームを泡立てるか、
　泡立てないか、好みの味わいに作る

はちみつのブランマンジェ

本来はアーモンドが香るデザートを、はちみつの甘みと香りで作りました。ゼラチンで冷やし固めるだけのデザートですが、ちょっとした工夫で仕上がりが大きく変わります。まずゼラチンの配合。口の温度ですっととけるよう何度も試しました。ゼラチンは商品によっても差があるので注意が必要です。そして生クリームを使う場合、ぜひ気を配ってほしいのがその泡立て。無意識に市販のデコレーションケーキのような状態まで泡立てるかたもあるようですが、これでは立てすぎで、食感がもたつきます。さらには泡立てぐあいで味の広がりにも違いが出るので、おもしろいのです。生クリームの泡立ちがあると、口の中で風味がゆっくり広がる感じ。泡立てずにプリンやゼリーのようにつるんと固めたものは、口の中でとけたとたんに香りをストレートに感じます。私は、本来飲み物として楽しむお茶やコーヒー風味ならストレートな味わいに、食べるものを使うときはムースタイプにしています。さて、どちらともいえないはちみつは……両タイプお試しの上、お好みで。

[材料]

生クリームを泡立てない、プリンタイプ（140ml前後の容器3個分）
　牛乳　170g
　はちみつ　34g
　生クリーム　110g
　板ゼラチン　3g

● p.78参照。

生クリームをゆるく泡立てる、ムースタイプ（プリン型4個分）
　牛乳　160g
　はちみつ　36g
　生クリーム　100g
　板ゼラチン　3g

● はちみつは、ここではフランス産ラベンダーの花のはちみつを使用。くせが少なくて、風味がきちんと出るのでおすすめ。

あんずのソース（p.76参照）
　適宜

● 長くつけすぎると吸水量が変わってしまうので、時間を守る。とりこぼすことがないよう一度網にとってから絞る。
● 使うまでに時間があいてしまうときは、絞ってからラップフィルムで密閉し、冷蔵庫へ。

● 板ゼラチンは、たっぷりの氷水に15〜20分つけてふやかす。茶こしなどの網にとり、水気を絞る。

プリンタイプの場合

[作り方]

1 
牛乳とはちみつをなべに入れる。よく混ぜて溶かしながら火にかけ、沸いたらすぐに火から下ろす。

2 
生クリームを加える。

● 生クリームを混ぜても、ゼラチンを溶かすために50℃以上を保てるよう、ここでは牛乳を沸騰させる。が、長く加熱すると牛乳が煮つまるので注意する。

3 
ふやかしたゼラチンを加え、よく混ぜて溶かす。

● ここで溶けにくければ、50℃までなら温め直しても大丈夫。

4 
網でこし、ボウルに入れて、氷水に当てる。時々混ぜながら少しとろみがつくまで冷やす。

● 分離して固まる心配はないが、とろみをつけてから器に流すほうがむらができず、仕上りがきれい。

5 
とろみがついたら器に流し、冷蔵庫で5時間以上冷やし固める。あんずのソースを添えてどうぞ。

ムースタイプの場合

[作り方]

1 牛乳とはちみつをなべに入れる。よく混ぜて溶かしながら火にかけ、周囲がふつふつとしはじめたら、火から下ろす。ふやかしたゼラチンを加え、よく混ぜて溶かす。

2 網でこし、ボウルに入れて、氷水に当てる。時々混ぜながらとろみがつくまで冷やす。

3 この間に生クリームを氷水に当てながらとろみがつく程度に泡立てる。持ち上げて落とすと、跡も残らずに消えるくらいのゆるさ。

● 好みでもう少し泡立てても大丈夫だが、ふんわりとするまで泡立てると冷やしても固まらないことがあるので注意。

4 2に3の生クリームと同じくらいのとろみがついたところに生クリームを加え、ゴムべらでよく混ぜ合わせる。

● 2と3に同じくらいのとろみがついていれば、分離して固まる失敗がない。

5 プリン型などに流し入れ、冷蔵庫で5時間以上冷やし固める。型から抜き、あんずのソースを添えてどうぞ。

● プリンタイプ（上）は、つるっとしたのどごしで、よりゆるく固まるので器のままどうぞ。
ムースタイプ（下）は、ふんわり固まるので型で固めて抜くこともできる。

---

column 07　あんずのソースの作り方

材料（1回分の目安）
ドライアプリコット　50g
グラニュー糖　30g
レモン汁　小さじ1

1 アプリコットは、軽く洗って、かぶる程度の水（150〜200mℓ）を加え、火にかけて一煮立ちしたら弱火にして煮る。約20分、アプリコットがつぶれるくらいやわらかくなって、水がひたひたより少なくなるまで煮る（途中、水気が足りなくなったら補う）。

2 煮汁は残し、アプリコットを裏ごしして筋や皮を除き、なべに戻す。ソースの残りの材料を加えて、再度火にかけ、よく混ぜて、沸騰直前で火を止める。冷ましておく。

● 清潔に冷蔵保存すれば10日ほど日もちするので、あらかじめ作っておいてもいい。使うときに濃いようなら冷水でほどよくのばす。

■ 香り豊かに、白いまま仕上げる
コーヒーの
ブランマンジェ
ジャスミンティーの
ブランマンジェ

ブランマンジェは、白い食べ物という意味です。
「オ・グルニエ・ドール」の西原金蔵氏に
教わったこれは、コーヒー風味でも、
名前のとおりに白く仕上がります。
白いコーヒー牛乳を作るわけですが、
豆や茶葉を牛乳に二晩つけるだけ。
雑味が移らず、香りだけがつきます。
ジャスミンティーでも同様にしてみました。
そしてどちらも生クリームは泡立てないほうが、
よりおいしく感じるように思います。

コーヒーの
ブランマンジェ

[材料]（90mℓ前後の容器5、6個分）
牛乳　200g
コーヒー豆　23g
グラニュー糖　27g
生クリーム　140g
板ゼラチン　3g

[作り方]

1　密閉容器にコーヒー豆と牛乳を入れて、冷蔵庫に入れ、二晩つける。

2　板ゼラチンは「はちみつのブランマンジェ」と同様にふやかして、絞る。

3　1を網でこす。コーヒー牛乳が189gとれるはず。なべに入れて、グラニュー糖を加え、溶かし混ぜながら火にかけて、沸騰したらすぐに火から下ろす。

4　以下は「はちみつのブランマンジェ」のプリンタイプ2〜5と同様に作る。

5　いただくときに牛乳（分量外）を温めながら泡立てたものを適量のせる。

ジャスミンティーの
ブランマンジェ

[材料]（140mℓ前後の容器3個分）
牛乳　200g
ジャスミン茶　8〜9g
グラニュー糖　24g
生クリーム　120g
板ゼラチン　3g

●ジャスミン茶は、香りのやさしい上質な品で、鮮度のいいものを使う。

[作り方]

ジャスミン茶の茶葉を牛乳に二晩つけて、こしたもの185gで「コーヒーのブランマンジェ」と同様に作る。泡立てた牛乳はなくていい。

---

column 08　ゼラチンについて

●ゼラチンの分量は家庭向きの「マルハ」の板ゼラチンで計量しました。「オーブン・ミトン」で通常使っているのはドイツ「エバルト（シルバー）」のもの。これでブランマンジェを作る場合は、使用量が4g弱になります。専門店などで入手されたかたはお試しを。

●ゼラチンは、少量なうえ、1gの差で仕上りに違いが出るぎりぎりの配合なので、計量は慎重に。微量計でなければ少量ずつはかりにのせて目的の数値に達した時点の量を使います。何回か量って確認しましょう。

●粉ゼラチンを使う場合は、同じ「マルハ」の品（ゼライス）ならほぼ同量で大丈夫。ただし、品によって時々誤差が生じます。使用の際は、5倍の水にふり入れてすぐにまんべんなく混ぜ、冷蔵庫に入れて20分はおき、吸水させます。

材料について

どの材料も鮮度のいいもの、保存状態のいいものを使ってほしいのはもちろんですが、全体を通して特に注意したい点を説明します。

卵
卵の分量は殻を除いた正味をgで表記していますので、サイズは関係ないことになりますが、全卵の場合はぜひMサイズを使ってください。Lサイズの卵は、卵白の割合が多いことがほとんどだからです。

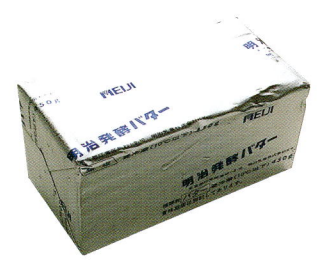

バター
バターはどれも塩分不使用のものを使います。表記がある場合は、ぜひ発酵バターを使ってください。乳酸発酵させて作るバターは、発酵独特の酸味をともなう深い香りと味わいがあり、使うと使わないでは大きな違いが出ます。特に表記がないレシピは、使う必要がないか、あえて個性的な香りを加えないほうがいい場合です。すべて素材の味わいを生かすレシピですから、バターも使い分けをしてみてください。必ずそれだけのことがあると思います。

薄力粉
粉の味わいも素直に出ますから、鮮度のいいものを使ってください。ただし、この本では、たんぱく質が低くて粒子が細かい高級品を使う必要はありません。そうした粉のほうが向く焼き菓子もありますが、この本のお菓子にはむしろ使わないほうがいいのです。粒子が細かいと、生地が密になりすぎて食感がべたついたり、粉の風味が感じられなくなるからです。

生クリーム
純乳脂肪分45％を使っています。脂肪分が分離しがちなので、指示のない場合は、使う直前まで冷蔵庫に入れておきます。

グラニュー糖
製菓用の微粒タイプを使っています。冷たい卵白や生クリーム、20℃前後のバターにも溶けやすいからです。なければ一般的なグラニュー糖をフードプロセッサーにかけて細かくしてから使ってください。グラニュー糖を加えてから加熱して混ぜたり泡立てたりする場合は、一般的な粒子のものでもかまいません。

アーモンドパウダー
状態と鮮度のいいものを使うことはもちろんですが、種類によってかなり味わいが違います。できれば、カリフォルニア産のキャーメル種というアーモンドをひいたものを使ってください。甘みがあり、香りが穏やかです。「アマンド・フード〈電話045-595-0788〉」で扱っています。

粉糖
コーンスターチなどが含まれている場合があります。純粋なものを選んでください。粉糖は特にしけやすいので密閉して保存し、固まりやすいので使用時に必ずふるいます。

小嶋ルミ

鹿児島県出身。日本大学芸術学部音楽学科卒業。会社員を経験後、東京製菓学校を卒業し、「新宿中村屋グロリエッテ」にて、横溝春雄氏(現「リリエンベルグ」オーナー)に師事。1987年、自宅のある東京・小金井に「オーブン・ミトン」を開店。現在はご主人小嶋晃氏が料理のシェフを務めて合同で営業。女性スタッフとともに常に納得のいくお菓子作りをめざし、素材が生きたやさしい味わいには定評がある。お菓子教室も人気。中国やタイでも講習会を開催、絶大な人気を博している。お菓子の研鑽のためなら国内外を問わず、専門店の厨房や教室に通う情熱を持ち続けている。著書は『パティスリー』『簡単だからおいしい!お菓子』(ともに文化出版局)、『小嶋ルミの決定版ケーキ・レッスン』(柴田書店)などがある。

「オーブン・ミトン」
(スクール&ラボ)
東京都小金井市本町1-12-13
tel 042-388-2217

ホームページ
http://ovenmitten.com/

撮影　渡邉文彦
デザイン　野澤享子
製作助手　古岩井愛子
　　　　　比嘉みどり
　　　　　高橋由布子

知りたがりの、お菓子レシピ
小さなこつも、大きなポイント

発行　2007年2月26日　第1刷
　　　2019年11月20日　第9刷
著者　小嶋ルミ
発行者　濱田勝宏
発行所　学校法人文化学園 文化出版局
　　　　〒151-8524　東京都渋谷区代々木3-22-7
　　　　電話 03-3299-2565(編集)
　　　　　　 03-3299-2540(営業)
印刷所　凸版印刷株式会社
製本所　小髙製本工業株式会社

©Rumi Kojima 2007　Printed in Japan
本書の写真、カット及び内容の無断転載を禁じます。
本書のコピー、スキャン、デジタル化等の無断複製は
著作権法上での例外を除き、禁じられています。
本書を代行業者等の第三者に依頼して
スキャンやデジタル化することは、たとえ個人や
家庭内での利用でも著作権法違反になります。

文化出版局のホームページ http://books.bunka.ac.jp/

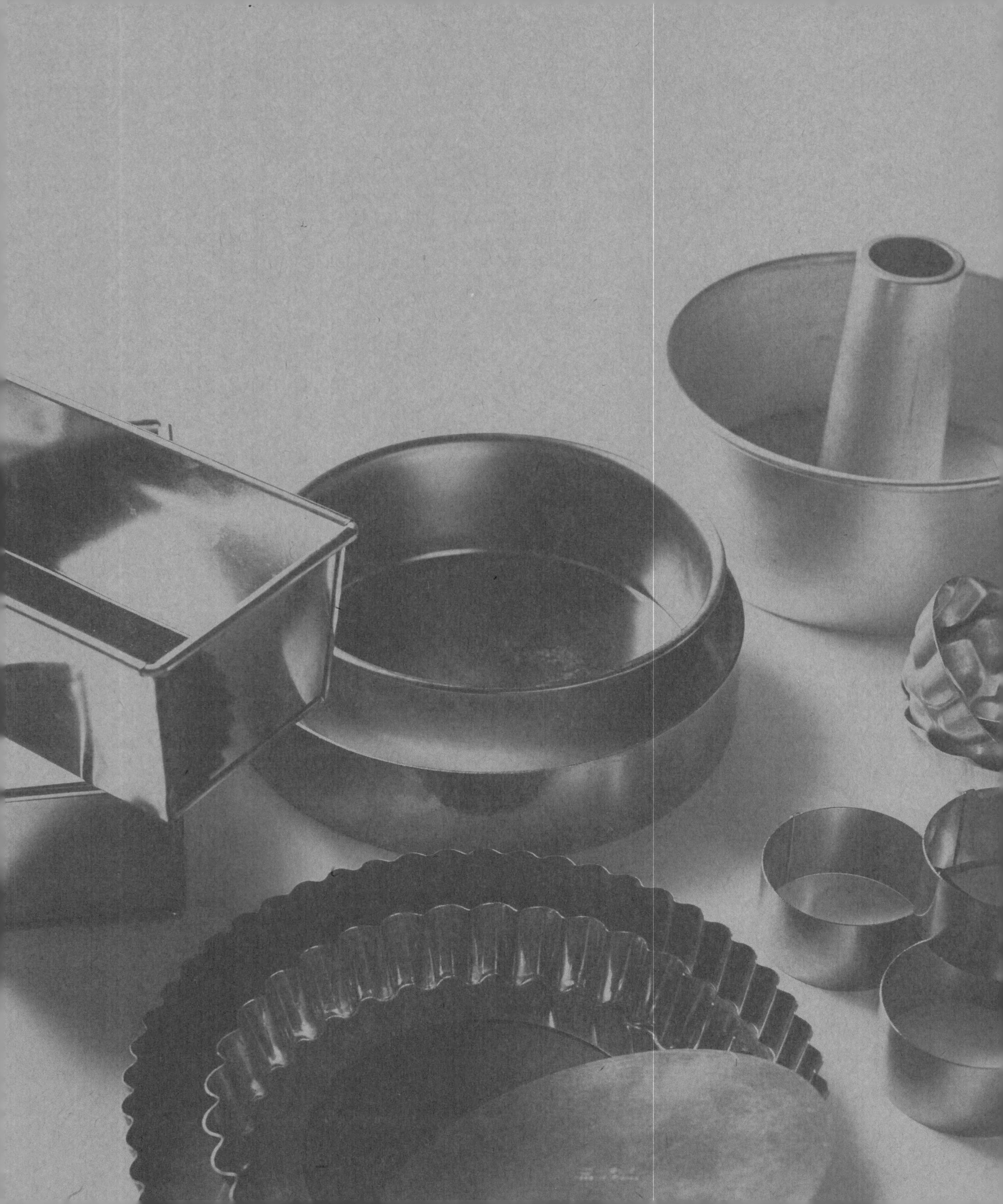

JN27849

G B J   C A I   H   C A   F   D C D C A   I B C H   C A   J C   G   B   F A C   G C B D C   C   C B C A D I   H F   C A B
                B

青木和子　旅の刺しゅう
野原に会いにイギリスへ

文化出版局

野原に会いたい

イギリスの郊外に行くたびに、牧草地や野原、とりわけ道端にずっとリボンのように続くワイルドフラワーが気になっていました。

ワイルドフラワーの種を取り寄せ、コンテナで育てては次々と咲く可憐な花をスケッチしたり、刺しゅうをしているうちに、私がずっと間近に見たいと思っている野原は「メドウ」と呼ばれる草地だとわかり、それは子供の頃読んだイギリスの物語の風景にもつながりました。

ゆっくりと野原の中を歩きたい。

どんな花が咲いているのか、野原に会いにイギリスへ行くことにしました。

イギリスの野原を訪ねる旅は、ワイルドフラワーの咲くメドウだけでなく、あこがれの庭に行ったり、フラワーマーケットで花好きの人たちに混ざって熱気のシャワーを浴びたり、町の中の花にも出会う旅でもありました。

出かける前は少し心配でしたが、ロンドンからライの町（イギリス南東部）へ行く列車の窓から、木々に縁どられた起伏のある丘、緑の草地にのんびりと草を食む羊、人気のない駅の裏手に茂るカウパセリを見ているうちに、なんとかなりそうと成行きにまかせることにしました。

Contents

イギリスの野原　04
野原の花図鑑　06　ヒメスイバ、ヒメフウロ、アカツメクサ
　　　　　　　07　バターカップ、スポッテドオーキッド、キャッツイヤー、マツムシソウ
　　　　　　　08　オックスアイデイジー、カウパセリ、ハコベ、グラス3種、ヘラオオバコ
ロードサイドから　12　ブランブル、ハリネズミ、ミツバチ
庭に逃げ出したワイルドフラワー　14　デイジー
いろいろな国から　16　ミツバチ、クローバー
キング・ジョーンズ・ロッジ　18　バラ
ガーデンショップにて　20　フリチラリア、ガーデンバッグ
庭まわりあれこれ　22　ガーデンツール
ライの町　24　ワスレナグサ
アイデン・クロフト・ハーブズ　26　ラベンダー
野原に出会う旅　28
旅の手帳　30　グラスのスケッチ
デレク・ジャーマンの庭　32　ヴァレリアン、カエル
シシングハースト・キャッスル・ガーデン　34　ブラックバード、カモミールベンチ
野原もいろいろあります　36　ポピー、アザミ、コーンカモミール、ヤグルマソウ、カウパセリ、バターカップ、グラス2種
コッツウォルズのポピー　38　ヒツジ、ムギ、ポピー
コロンビア・ロードのフラワーマーケットに行く　40　ハウスリーク、ショッピングバッグ
ノッティング・ヒルを歩く　42　町並みのパネル
メアリー・ウッディンさんを訪ねる　44　コスモス
お茶まわりあれこれ　46　ティーバッグ
野原を刺しゅうする　48

イギリスの野原
カウパセリ、ウィローハーブ、フラックス、バターカップ、ワイルドセージ、コーンフラワー、レッドカンピオン、マツムシソウ、スポッテドオーキッド、イエローラートル、クローバー、グラス類いろいろ page 52

5

野原の花図鑑

メドウ(野原)はワイルドフラワーで構成されています。その中から、よく見かける花を選びました。ごちゃごちゃと生えているように見えて互いに支え合って伸びています。すーっと生長して確保した隙間の上の方に花を咲かせているので、枝分れは少なく線的な形が多く、花もコンパクトで刺しゅうがしやすい。それでいて花の形はバリエーションがあり、昔から刺しゅうやプリント、織物のモチーフになってきたのもよくわかります。

ヒメスイバ、ヒメフウロ page 54、アカツメクサ、バターカップ page 55
スポッテドオーキッド、キャッツアイヤー page 56、マツムシソウ page 57

Meadow buttercup

Cat's-ear

Spotted orchid

Field scabious

フランス菊とも呼ばれ、どこにでも咲いているオックスアイデイジー page 57
道端にずーっと続いて咲いていることが多く、森の終わったところでも見かけるカウパセリ page 58
stitchは急におこる激痛、wortは〜草の意。見過ごしてしまいそうな華奢な白い花のハコベ page 58

9

実際にメドウを見てわかったのは、草の種類が多いこと。その中で気に入っているグラス類3種 page 59
近所でよく見かけたり、時々庭に生えてくるオオバコより大型のヘラオオバコ page 59

Ribwort plantain

11

ロードサイドから

道端のワイルドフラワーが好きと言うと怪訝な顔をされますが、ワイルドフラワーやメドウの本ではロードサイドも一つのジャンルとして紹介されています。郊外では畑と道路の境界として生け垣が作られ、複雑にからみ合ったブランブル（ブラックベリー）や野バラをよく見かけました。生け垣にはさまざまな植物や昆虫やヘッジホッグ（ハリネズミ）なども住みついています。ロードサイドの植生が豊かであれば、そこに多くの命が育まれていることに。道端も奥が深いのです。

ブランブル、ハリネズミ、ミツバチ page 60

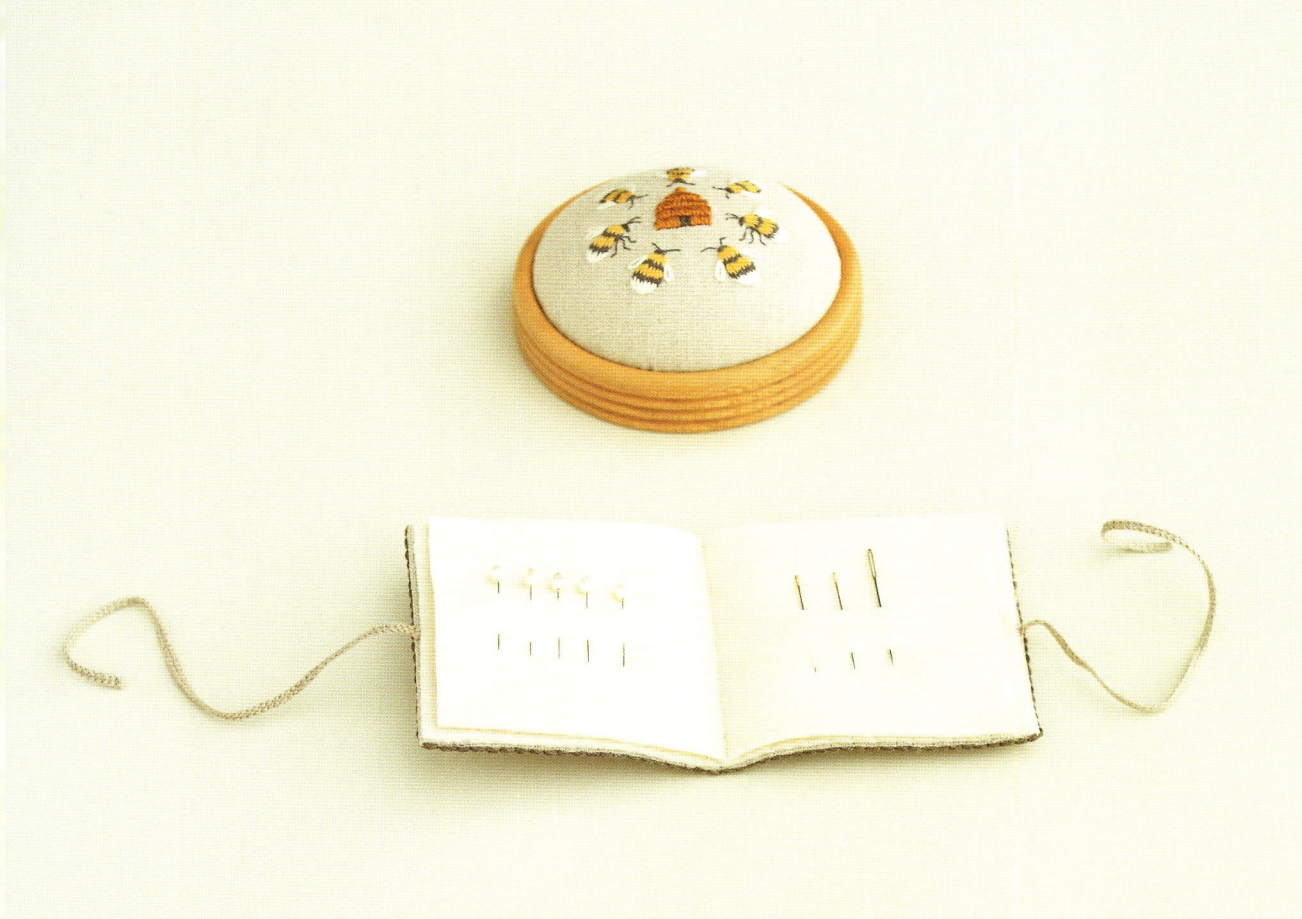

庭に逃げ出したワイルドフラワー

ワイルドフラワーのミックスの種をまいてコンテナで育てている時、暑い夏に枯れてしまう花もある中で、種を実らせまき散らし、せまいコンテナから庭に逃げ出した花がいくつかあります。イングリッシュデイジーもその一つで、花びらの先がピンク色で可憐な花ですがとてもたくましい。レンガの目地にしっかりと根をはっています。イギリスの庭ではもっと小さいローンデイジーを芝生の中でよく見かけました。グリーンの中の花もようは可愛いのですけど、きっとガーデナー泣かせです。

クローバーやたんぽぽでも作ったことがある花の首飾り。デイジーでもできます。それをクロスにあしらいました。ブックカバーはデイジー4本を1パターンにして、繰り返すことができます。長くつなげて刺しゅうしてテーブルランナーにしても。

花占いはこの花が正式のようです。葉はスプリットステッチ。平面をうめているのに軽く仕上がり、サクサクと楽に刺すことができます。

デイジー page 62

Daisy

いろいろな国から

庭のところどころにランナーを伸ばすクローバーは、コンテナで混み合っている株をグランドカバーにと地面に植えたのが広がったものです。葉に斑の入ったクローバーや、娘のアイルランドのおみやげのシャムロック（コメツブウマゴヤシ）もあり、庭のクローバーはインターナショナルです。やって来るハチは近所からですけど。

1本だけなら四つ葉、たくさんあるなら四つ葉は1本だけ。これはクローバーのデザインの基本のようなもの。1本だけでもまとまるすぐれものです。

このクローバーのモデルは、page 23の奥の鉢の葉に斑のないタイプです。花が咲いていないので確かめられませんが、ストロベリークローバーの可能性もあります。花はホワイトクローバーより小さくて、ピンクのイチゴのような花が咲くそうです。

ミツバチ、クローバー page 65

White clover

キング・ジョーンズ・ロッジ

　庭の美しいB&Bのキング・ジョーンズ・ロッジ。専任の若いガーデナーが庭を整え、ジャコビアン形式のうろこ屋根のクラシックな建物とその植栽がよく調和していました。中でもメドウガーデンに設えられた、幾重にも重なるバラのアーチはロマンティックな風景です。ピンクのバラのアーチの向うには彫像が立っていて、フォーカルポイントでしたが、刺しゅうではいすにしました。針金と鉛板でできています。
　今回は予約が取れなくて残念でしたが、お茶とランチをいただいて、ゆっくり過ごすことができました。

B&B：ベッド&ブレックファスト。宿泊と朝食つきのお宿のこと。

バラ page 68

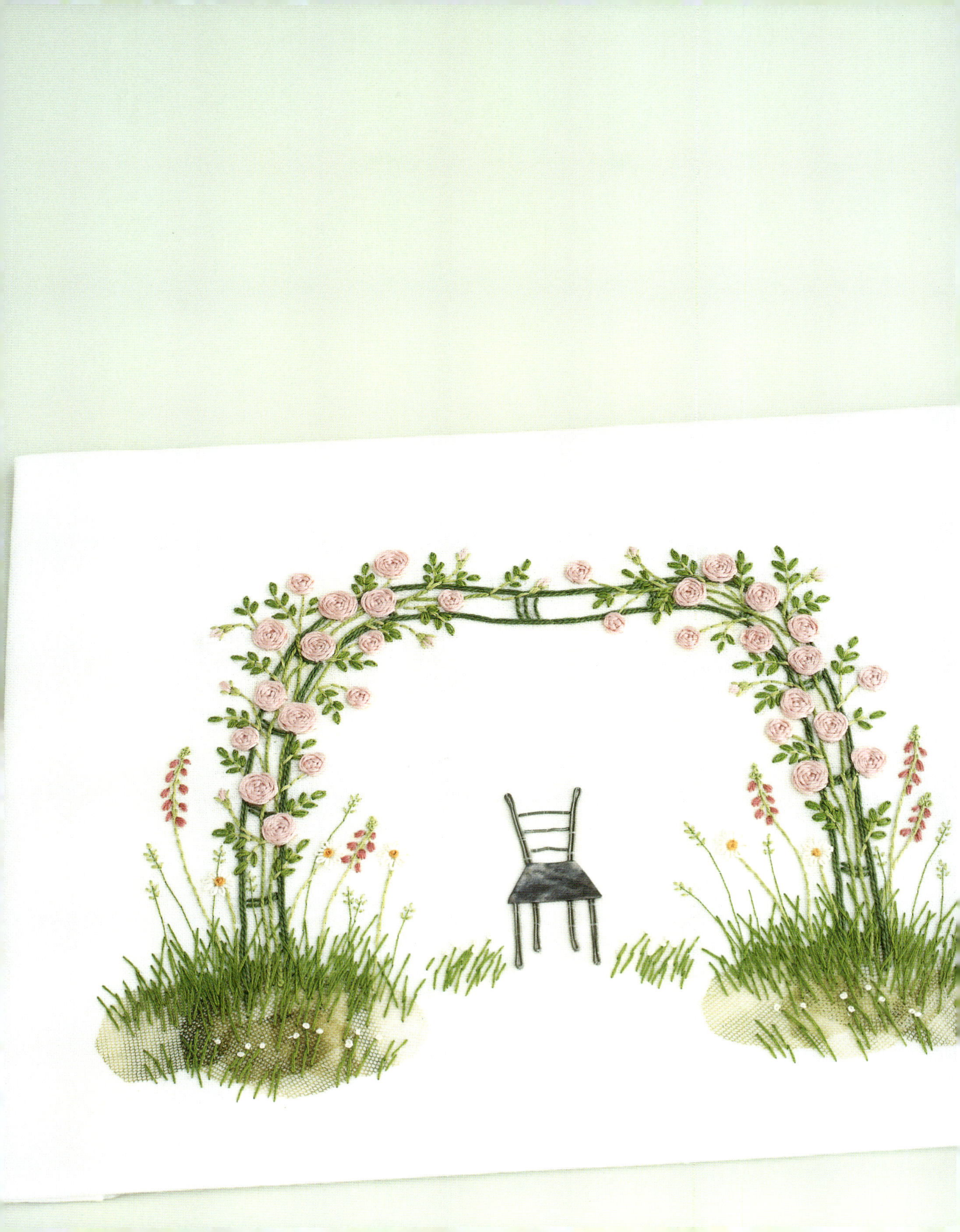

ガーデンショップにて

キング・ジョーンズ・ロッジに向かう途中で立ち寄ったガーデン＆ナーサリー。郊外のナーサリーに行くのは初めてで、手前のショップを抜けると、宿根草やブッシュを中心とした苗がきちんと区画され並んでいました。ラベルも見やすくて、ふうろ草はやはり数が多い。手入れの良い庭の一角にメドウガーデンが作られていて、その向うに本物の草地が広がっていました。最初のメドウとの出会いはこの「MERRIMENTS GARDENS」でした。

ここのトレードマークは、フリチラリア。チョコレート色のチェッカーもようは、刺しゅうではナッツステッチにした方が感じが出しやすいようです。

マットなグリーンと厚引きゴムの、イギリスならではの実用グローブを購入。それに合わせて、日常のちょっとした手入れ用の鋏と手袋と麻ひもを入れるバッグを作りました。

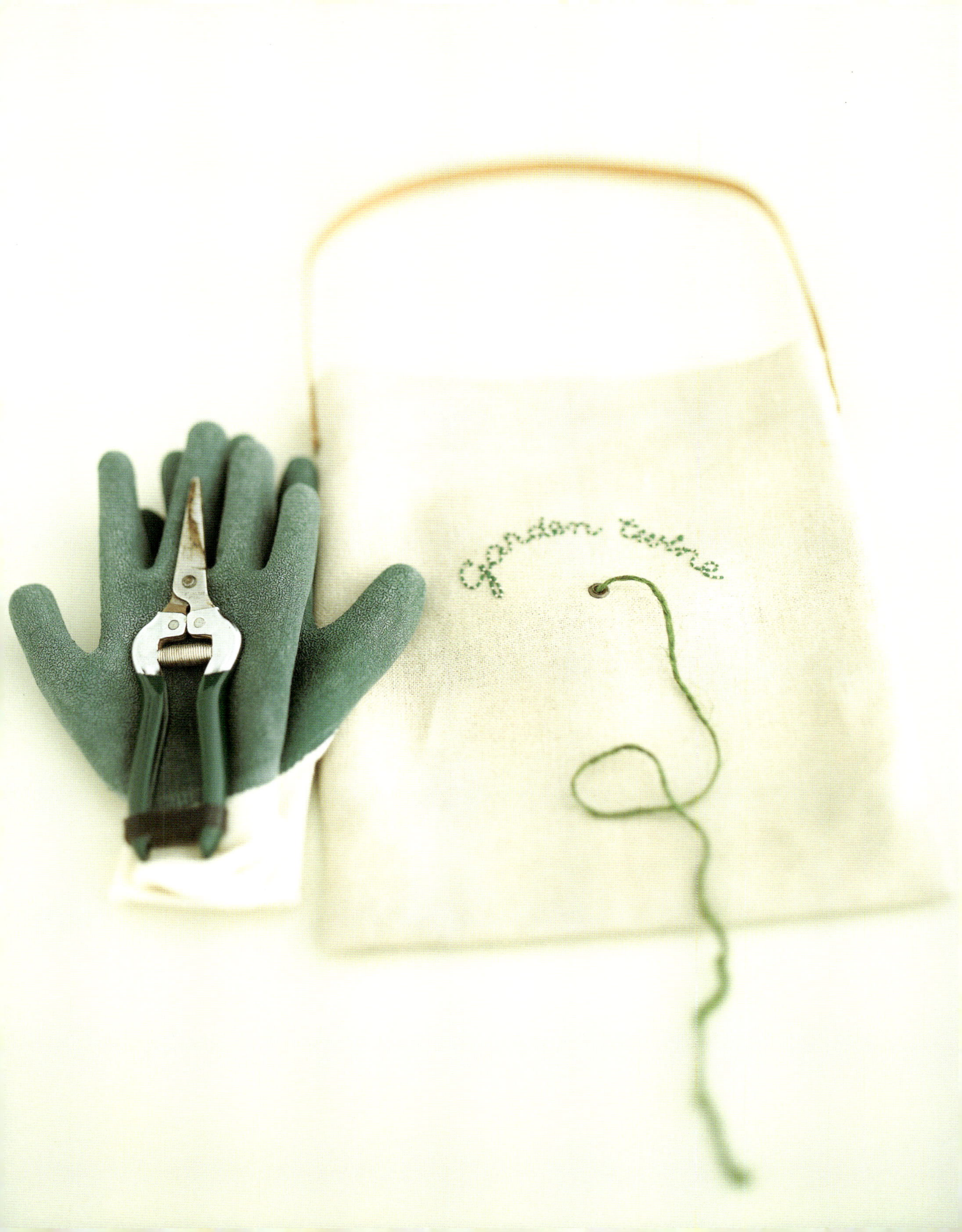
garden twine

庭まわりあれこれ

イギリスに行くと必ずガーデンショップに行って、種と庭まわりの小物を買います。日常使いの道具でも気に入ったものが揃っているので、気持ちよくあれこれ選べるからです。トラッグ（木製のカゴ）やカゴ類はトランクに入らないので、いつも手に提げて持って帰りました。緑色の麻ひもはパッキングがわりにもなります。高価なものや特別なものは何もないのですが、毎日の庭仕事をちょっと楽しくしてくれます。

まずは箱の中から。ワイルドフラワーのミックスの種を、コロンビア・ロードのフラワーマーケット（page 40）で見つけたハンドメイドの小さな鉢にまきました。この時点で品種はほぼ確定しています。王冠のオーナメントは、コッツウォルズのチッピング・カムデンの雑貨屋さんで。つる植物の鉢にかぶせる予定です。箱はグレイト・ディクスター・ガーデンで。きゅうりを入れて出荷する箱にしか見えなかったのですが、この焼き印一つで買うことに。箱の外、時計回りに。刈込み鋏はライ（page 24）のアンティークショップで手に入れたもの。記念切手と封筒はロンドンの古本屋街の切手専門店で。ハチやてんとう虫の消印もありました。紙マッチのようなのは、種まきキット。1本ずつ千切っては土に差し込むと芽が出てきます。フラワーマーケットで見つけた種袋と、上に載っているのは庭の入場券。トピアリー用の切込み鋏は、チェルシー・ガーデナーにて。forget-me-not（page 24）で買ったハンドクリーム。ガーデンフォークは、アップルドアのアンティークショップにて。

GREAT
DIXTER
GARDENERS
HAND
CREAM
THE
NATIONAL
GARDENS
SCHEME
BY AIR MAIL
HERB GARDEN
The Horse
Chestnut
By air mail
Par avion

ライの町

丘の上の港町ライは中心に教会があって、歩いて回れるくらいの大きさ。古い町並みの家の入り口にはプレートがあって、番地や○○cottageや○○houseの名前と絵がデザインされていました。その組合せが素敵で、毎朝早起きをして、一つ一つ見て歩きました。その時見つけた雑貨とリネンのお店で、庭仕事用のビン入りハンドクリーム(page 22)を買いました。その際に、庭仕事が好きで手が荒れるからと伝えると、女主人の顔がぱっと輝きました。以前はガーデンアーキテクチャーで、ライの町のまわりに彼女のデザインした庭がいくつもあるとのこと。お店の名前は、Forget-me-not。

ポストカードボックスには、わすれな草のリースを。

ワスレナグサ page 74

Forget-me-not

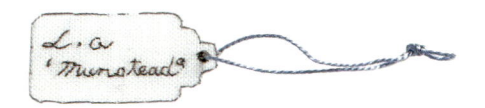

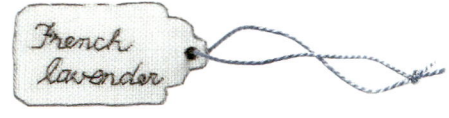

アイデン・クロフト・ハーブズ

　ハーブやワイルドフラワーを育てていると、この二つに境界を引くことはできないのに気がつきます。野生の種から人の暮らしに役立つものをセレクトしてハーブと呼んでいるのでしょうね。アイデン・クロフト・ハーブズでは、ラベンダーやタイムのコレクションコーナーはあるものの、色別の大きなボーダーにあらゆる植物が植え込まれ、どこまでがハーブかわからないくらい。壁に囲まれ、門を開けて入る庭にはだれもいなくて、ハーブは思い思いに茂り、頭上で雲だけが流れ、時が止まっているようでした。
　ラベンダーがあると自然に手が動いて、そっとしごいては香りを確かめてしまいます。人気のラベンダーは交配も盛んで、思っているよりうんと種類は多いのです。サシェにはお気に入りの香りを。

ラベンダー page 71

Iden Croft Herbs
23. Jun

野原に出会う旅 page 76

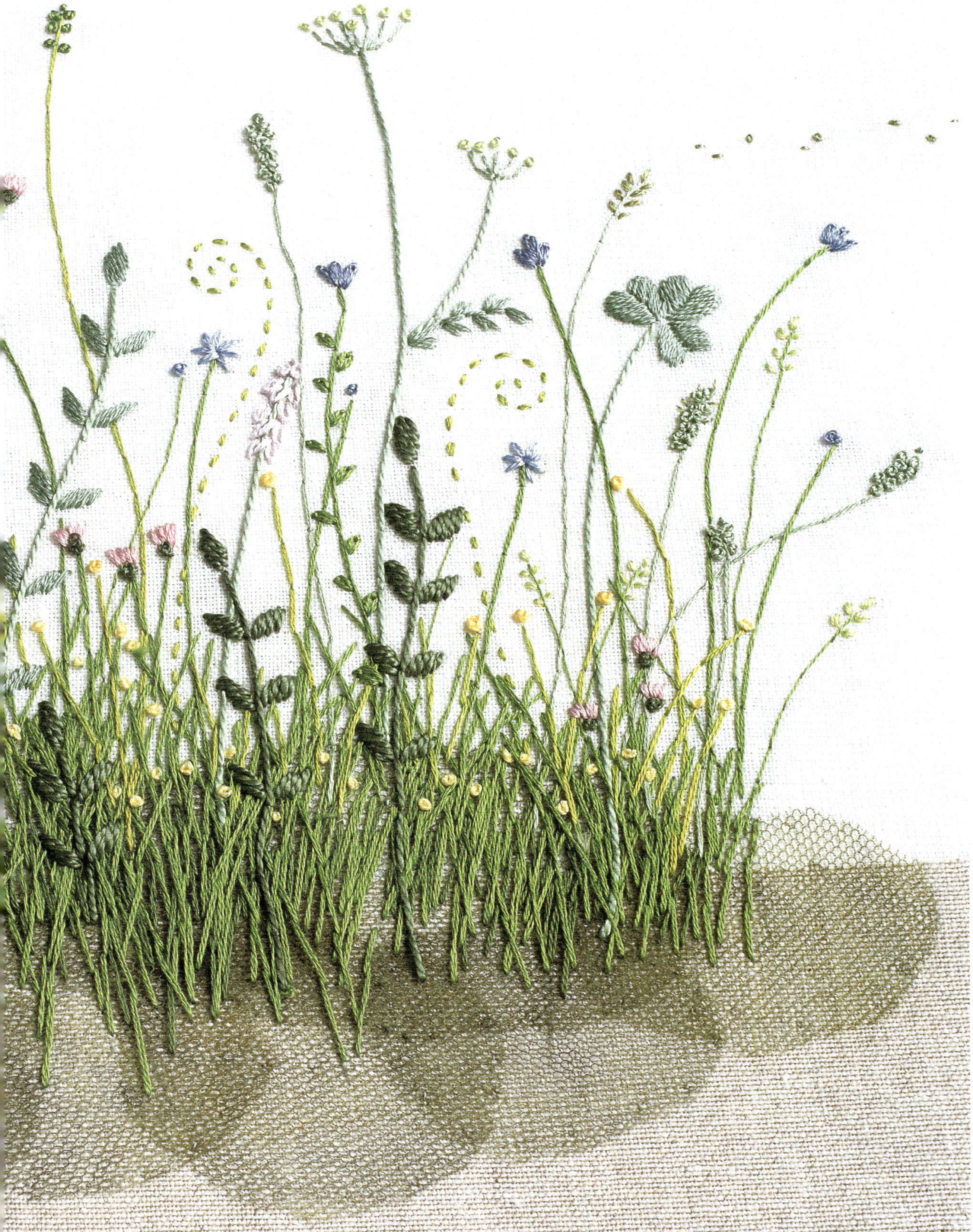

旅の手帳

普段や旅行で使えて、メモ書きや絵も描きやすい手帳をずっと探していました。しばらく前から使い始めたモレスキンは、画家や作家も愛用とのことで、花のスケッチも縦長で描きやすい。水彩紙版もあるけれど、普通紙の無地に、頭に浮かんだこと、目の前に広がる風景、写真では撮れない形のメモ等を書いていきます。グシャグシャの線のかたまりでも、それが記憶のきっかけになり、私には色鮮やかなポピー畑が見えてきます。何事も忘れがちになり、書きとめることで記憶を目にすることができるので、手帳は切実な必要性も出てきてしまいました。

こんなふうにサインペンで一気に描いています。旅行中は写真を撮ったり買い物に忙しく、じっくりと絵を描いていられないので。

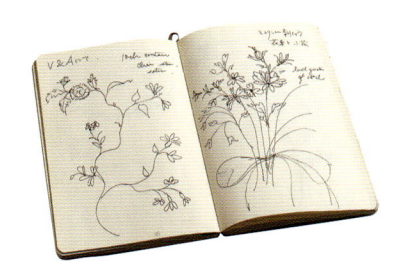

グラスのスケッチ page 78

Plantain

デレク・ジャーマンの庭

雲の低くたれこめる空の下、軍事施設の並ぶ道を抜け、原子力発電所近くの荒涼とした風景の中にデレク・ジャーマンの庭はありました。彼がエイズを病みながら作り上げた個人的な庭で、囲いがないのにそこだけが彼の気配に包まれていました。踏み込んではいけない気持ちに好奇心が勝って、窓から部屋の中を覗くと、生前使っていた道具類とともにカエルのコレクションが置いてありました。何の係わりもない彼とカエル好きの接点を見つけて、彼との距離が少し近くなりました。

咲いていた赤い花を庭を見に来ていた女性に聞くと、「ヴァレリアン」とのこと。くり返したら発音が悪くて、2回も言い直されてしまいました。写真を見るたびに、ヴァにアクセントを置いた彼女の声が聞こえてきます。

ヴァレリアン、カエル page 80

RED VALERIAN

PROSPECT COTTAGE

シシングハースト・キャッスル・ガーデン

庭仕事を始めた頃、シシングハーストの写真集を毎日眺めていた時期があり、実際に訪れてみると初めてなのに、ここ知っていると思うことがたびたび。評判どおりの美しい庭は、手入れが行き届いていました。ハーブガーデンに入った時に声を上げそうになったのは、中央のアーン（壺形の鉢）とカモミールベンチ。「あなたたち、ここで待っていてくれたのね」そう思う程よく見ていたページの庭でした。ホワイトガーデンのキャノピーは満開。バラ園もオールドローズが香って。それなのに印象に残ったのは閉園間近、やっと座れたバラ園のベンチでタワーを見上げながら、ブラックバードの歌声を聞いていた時間でした。ブラックバードをケータイやデジカメ入れのポーチに。

ブラックバード、カモミールベンチ page 82

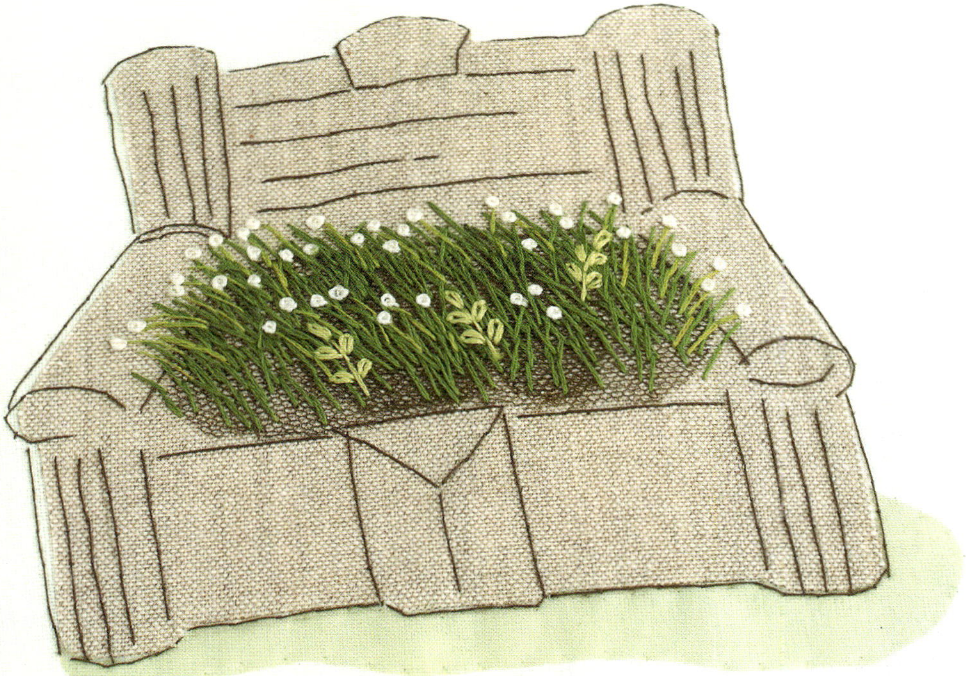

野原もいろいろあります

イギリスのメドウは何タイプかあります。一つは自然に近い野原。もう一つは、庭の中に作られるメドウガーデン。種を配合して咲く花をコントロールできます。そして、コーンフィールド。麦畑の雑草と呼ばれています。ポピーや矢車草、それにフランス菊のコンビネーションが多い。ヨーロッパの刺しゅうのモチーフに麦とこれらの花の組合せがあったら、それはコーンフィールドの花たちです。

ここでは、3タイプを作ってみました。使うモチーフは8種で、どれも簡単な刺しゅうですが、これを組み合わせてオリジナルな野原を作ることができます。ある程度たくさん刺すと雰囲気が出てきて、広大なメドウも表現できます。

ポピー　アザミ　コーンカモミール　ヤグルマソウ　カウパセリ　バターカップ　グラス2種

上からコーンフィールド風、メドウガーデン風、自然風のメドウ page84、右ページは応用作品

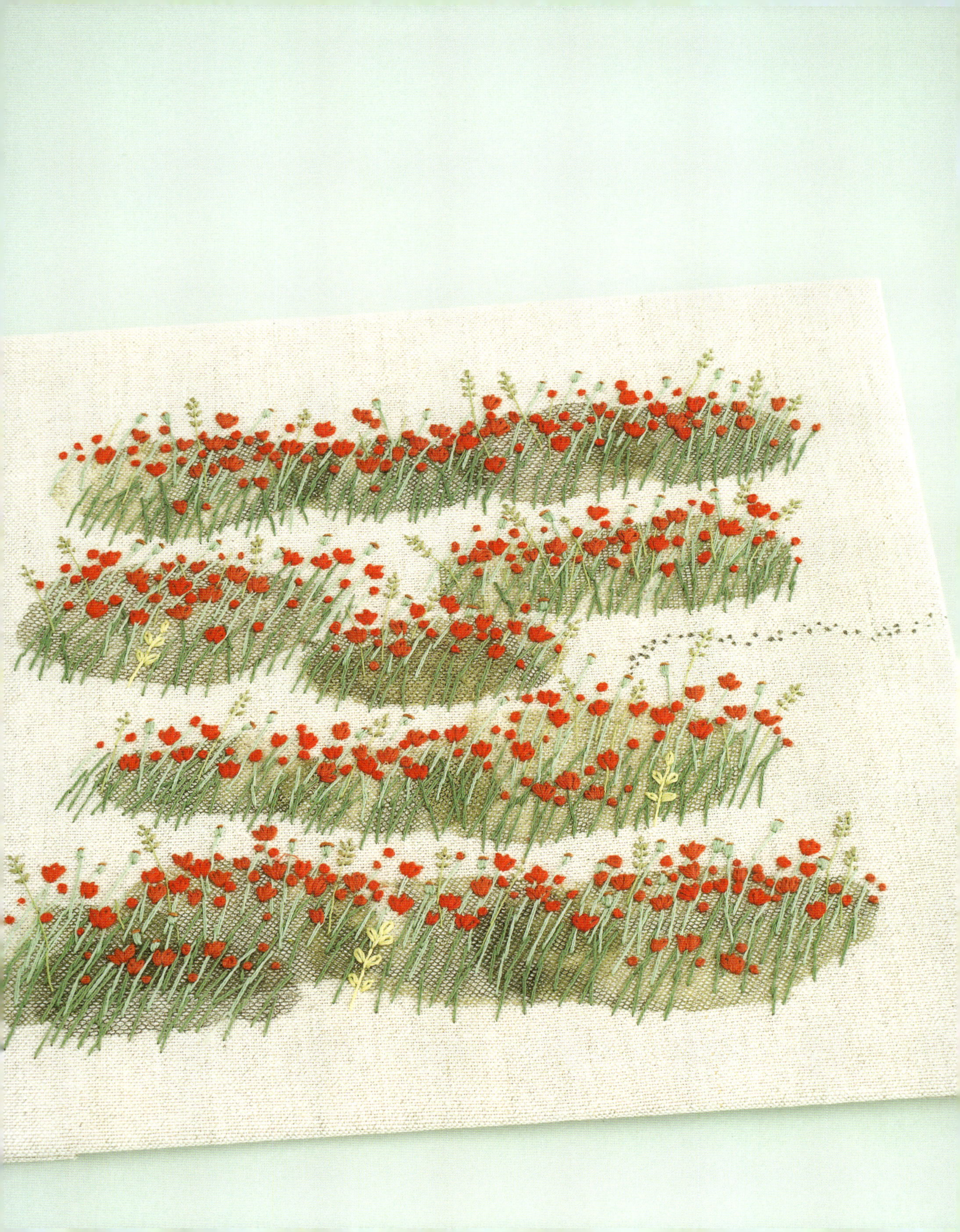

コッツウォルズのポピー

　古い石づくりの家が残る村が点在するコッツウォルズは、はちみつ色の家とともに、バラや親しみやすい草花が植えられた庭も魅力的です。庭園と違って前庭だけでしたら大きくないし、入り口のまわりだけ花が植えてある家もあり、どんな花を組み合わせているのかと目をこらしてしまいます。村から村をつなぐ道の両脇にもワイルドフラワーが咲いています。中でも、パッチワークのピースのように、緑の畑の中に燃えるようなポピー畑が出現することがあり、そのコントラストが鮮やかでした。

赤い花は苦手なのですが、ポピーだけは別。特に種の入った莢が好き。コッツウォルズで買ったバスケットに合わせて、パン用のクロスにしました。ポピーは小麦と仲良しですから。

ヒツジ page 84、ムギ、ポピー page 86

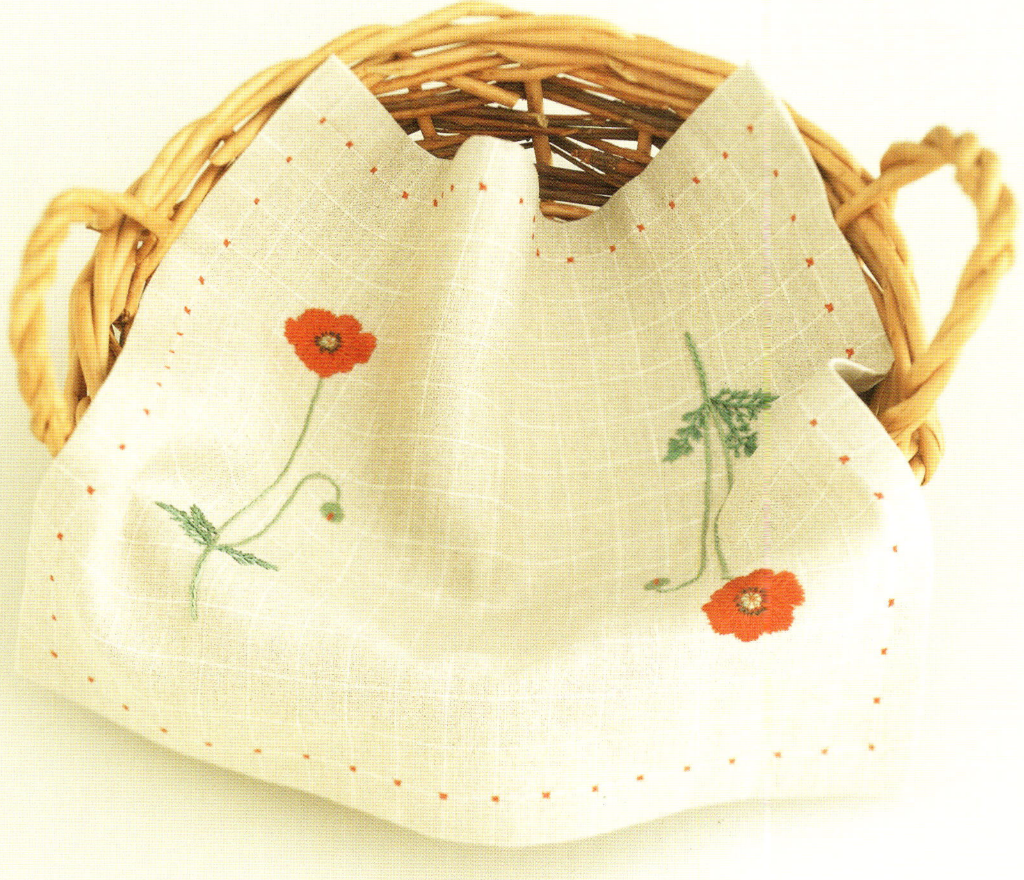

コロンビア・ロードのフラワーマーケットに行く

花好きでしたら絶対に行きたいと思うのが、ここのフラワーマーケット。日曜日の朝、しかも駅から離れたところにオープンしているのに、8時を回った時点ですでにいっぱい。道の両脇に花屋、苗屋、植木屋のストールがぎっしり並び、入り口ではセリが始まっていました。いっしょに行ったTさんはそこで、「わーっ」と叫びました。こんなにワクワクした気持ちは久しぶり。私はそれまでの庭めぐりで気になっていたハウスリーク（多肉植物の一種）が欲しくて何度も買いそうになりました。

マーケットを歩き回るのに、ショッピングバッグが必要です。コロンビア・ロード特製のショッピングバッグを買ってきたのですが、大きすぎてまだ出番なし。そこで丈夫なリネンキャンバスを使い、程よい大きさに作りました。

ハウスリーク、ショッピングバッグ page 87

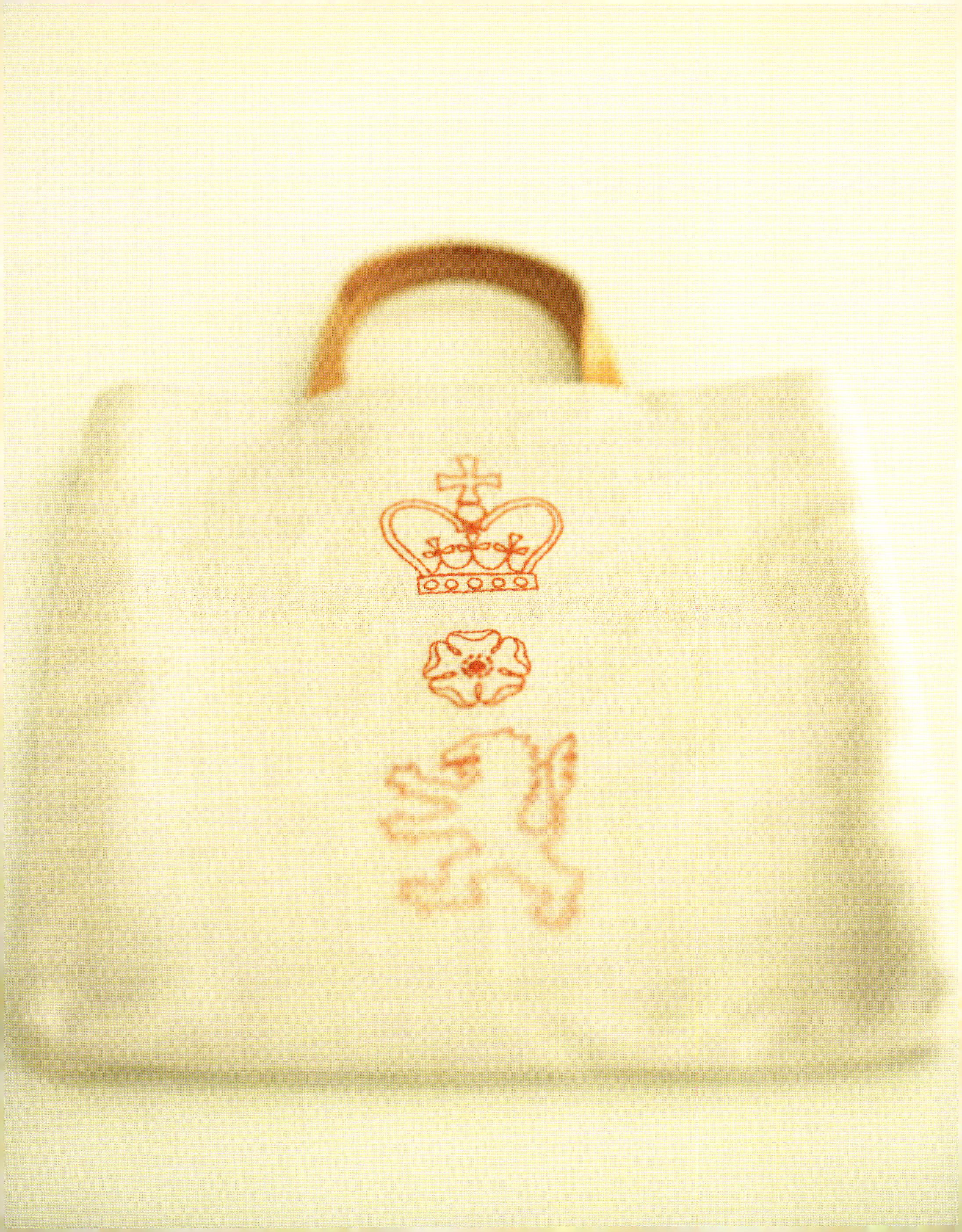

ノッティング・ヒルを歩く

ポートベローのマーケットが開かれる道沿いのごちゃごちゃした町並みと高級住宅街が隣り合った、花屋と本屋の多い町です。普通の暮らしのある町の佇まいを感じながら、ドアのまわりや窓、そして庭を見て歩きました。庭は広くなくても手をかけてある様子。目を引いたのは、クレマチスとアイビーだけの前庭。花は白。散歩の途中に、自転車で花の配達をする青年がデイパックにぎっしりとアリアムの束を入れ、走り去るのを見たこともあります。町には町の、花との暮らしがあるのですね。

町並みのパネル page 89

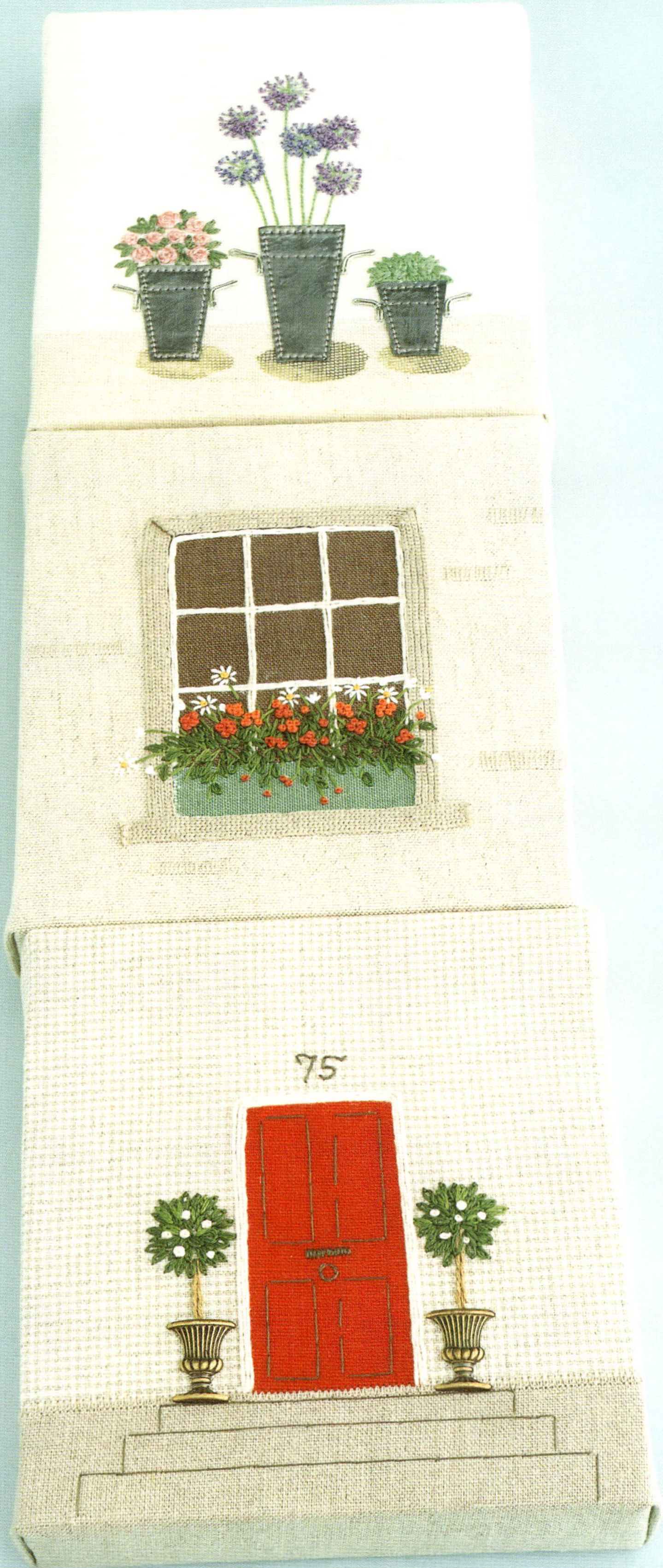
75

メアリー・ウッディンさんを訪ねる

以前イギリスに行った時に、出版されたばかりの美しい水彩画でつづられた庭の一年の本『THE PAINTED GARDEN』（Mary Woodin）に出会いました。その後、フラワーアレンジの雑誌の扉に毎号登場する彼女の絵を見るたびに、庭好き花好きの方なら、お会いできるといいなと思っていました。会いたいとずっと思っていると、いつか会えることがあります。メアリーさんとも偶然が重なって、ロンドンから引っ越したばかりのお宅を訪ねることができました。

メアリーさんの庭で、本の中に出てきたピオニー、ポピー、そしてコスモスを発見。あたたかいおもてなしを思い出しながら、一つのクッションに仕上げました。パッチワークをする前はこんなふうです。ピースのサイズを糸でしるしています。

コスモス page 92

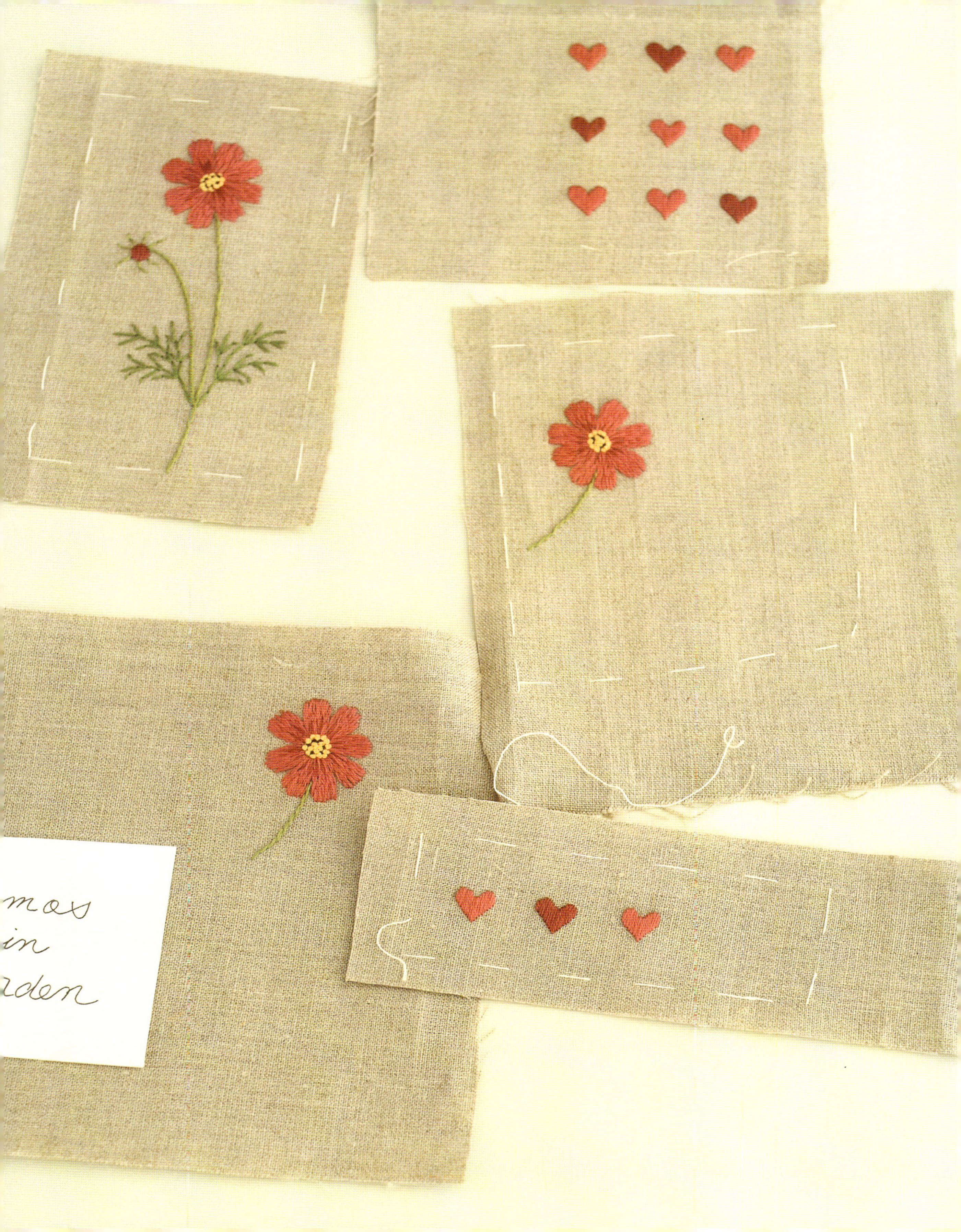
mos
in
rden

お茶まわりあれこれ

イギリスに行った時にはロンドンのティーハウスで、紅茶をまとめ買いします。アクセントとしてフレーバーティー、特にスパイスティーが好きで、香りが良いので袋のまま置いておくこともあります。

12年前コペンハーゲンのイルムスで手に入れたグレーのネコのティーコゼーがボロボロになり、ティーハウスで買い替えました。ポットも1代目はブルー、今回はグリーンに。こだわっているようで、それほどでもなく、お茶屋さんが遠くの商店街にある感じです。

上から、コッツウォルズのエッグバスケット。こんなに小さいバスケットを何にするのかしらと思っていたら、卵を入れたこのバスケットが雑誌に載っていて判明しました。ネコのティーコゼーに、ポットがすっぽり入ります。左はコペンハーゲンのネコ、右はロンドンのネコ。次からは時計回りに。ティーハウスの紅茶。紅茶はエキゾチックな飲み物だったのねと思わせるパッケージです。ヨーグルトのフタ。ライ（page 24）のマーメイド・インの朝食に出てきました。ミンスミートのビンは、ポートベローのアンティークのビン屋で。古いセンズベリーのものです。小さな花を入れるのに。グラス類の折りたたみ図鑑は、持ち歩きに便利です。ワイルドフラワーの図鑑『WILD FLOWERS OF BRITAIN』はおすすめの一冊で、10年以上愛用しています。カップ＆ソーサーは、メアリー・ウッディンさん（page 44）デザインの食器。ウェッジウッド社のものです。

ティーバッグ page 96

THE TEA HOUSE
THE TEA HOUSE
WILD FLOWERS
OF BRITAIN
FLOWERS
OF BRITAIN
Common Meadow Grasses
Low Fat
Live Yogurt
NATURAL
21 June

野原を刺しゅうする

初めて出会ったメドウで、長年愛用のワイルドフラワー図鑑(page 46)を片手に、よく知っているのに初めて見る花を一つ一つ確かめた気持ちは今でも新鮮です。図鑑で見て花を確かめ、写真に撮る。スケッチをして刺しゅうをする。そのプロセスを経験することで、花との関係がより親密になっていきます。今までのワイルドフラワーへの思いがつながりました。

旅行中はあれもこれも刺しゅうをしようと思ったのですが、帰国してスタートしてみると心に残っていたのは、有名なところだからといった格付けとは無関係の風景や花のにぎわい。旅のシーンはそんなふうになっています。野原の刺しゅうの細かい部分は、図案に入れていません。風にそよぐ草や花を心に描きながら、スケッチするように針を進めてください。

ホットカラーのボーダー page 95

刺しゅうをするときに

★ 糸のこと
この本では、すべてアンカーの刺しゅう糸を使用しています。糸の色は材料と図案に番号で示してあります。5番刺しゅう糸はそのまま1本どりで刺しゅうします。25番刺しゅう糸は細い糸6本でゆるくよられているので、使用する長さ（50～60cmが最も使いやすい）にカットした後で1本ずつ引き抜き、指定の本数を合わせて使います（この本では指定がない場合は3本どり）。図案で5番と指定のある太線は5番刺しゅう糸を使用します。それ以外は25番です。2色以上の糸を合わせて針に通して刺しゅうすることを、「引きそろえ」と言います。色が混ざり合って深みが増し、効果的です。
糸のロット、撮影の状況や印刷により、実際の作品の色と多少異なる場合があります。また、お手持ちの刺しゅう糸を使う場合は、写真を参考に合わせてお使いください。

★ 針のこと
刺しゅう糸と針の関係はとても大切。糸の太さに合わせて、針を選んでください。針先のとがったものを使用します。
5番刺しゅう糸1本どり……フランス刺しゅう針 No.3～4
25番刺しゅう糸6本どり……フランス刺しゅう針 No.3
25番刺しゅう糸4本どり……フランス刺しゅう針 No.5
25番刺しゅう糸2～3本どり……フランス刺しゅう針 No.7
25番刺しゅう糸1本どり……細めの縫い針

★ 図案のこと
図案は、実物大、または縮小したものを掲載しています。拡大して使用する指示がある場合はそのサイズにし、トレーシングペーパーに写し取ります。さらに、布地の表面にチョークペーパー（グレーがおすすめ）と図案を描いたトレーシングペーパーを重ねて、布地に写します。または、ピーシングペーパーに図案を写し取り、布地にアイロン接着する方法もあります。ざっくりした麻布は図案が写しにくいので、ピーシングペーパーのほうが向いています。

★ 布地のこと
作品の多くには、麻100%、麻50%と綿50%程度の混紡、綿100%を使っています。
刺しゅうをするベースの布地の裏面には必ず片面接着芯（中厚程度）をはります。布の伸びがなくなり、裏に渡った刺しゅう糸が表側に響かず、仕上がりが格段によくなります。ただし、クロス類に仕立てるものにははらない場合もあります。
本の中では、作品の布地の余白が多めになっているものがあります。仕立ての方法にもよりますが、パネルや額に入れる場合は、図案のまわりに10cm以上つけておきます。
クロスステッチをしている部分はクロスステッチ用の布か、抜きキャンバスを使って好みの布に刺しゅうをします。抜きキャンバスのときはクロスステッチ用の針ではなく、とがった針を使用してください。
透けない布でアップリケするときは、裏面に両面接着芯をはり、図案どおりにカットして、土台布にアイロンで接着してから、刺しゅうをします。

★ 枠のこと
刺しゅうをするときは、布地を枠に張るときれいに仕上がります。小さいものは丸枠、大きなものはサイズに合わせて、文化刺しゅう用の四角の枠を使います。

★ 仕立てのこと
大きめにカットした布に接着芯をはり、使用するサイズに糸印をつけて（page 45のように）、刺しゅうします。縫い代をきれいに裁ちそろえ、縫い合わせていきます。
パネルに仕立てる場合は、仕上りサイズ（刺しゅうのまわりに余白分をプラスしたサイズ）の厚さ1mm程度のイラストボードや厚紙などのパネルを用意します。刺しゅうした布地は仕上りサイズに折り代分を5cmくらいつけて余分をカットし、パネルをくるみ、製本テープではってとめます。布地が重なって角が厚くなる場合に、内側に折り込まれる分の折り代をカットします。

刺しゅうのステッチ

図案の中では、ステッチを「S」と省略しています。

ランニングステッチ

バックステッチ

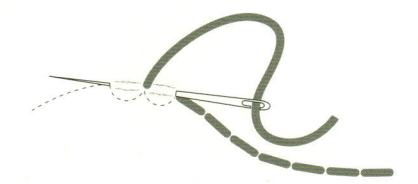

アウトラインステッチ

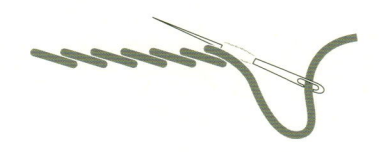

スプリットステッチ

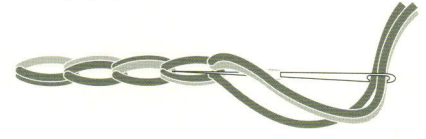

コーチングステッチ

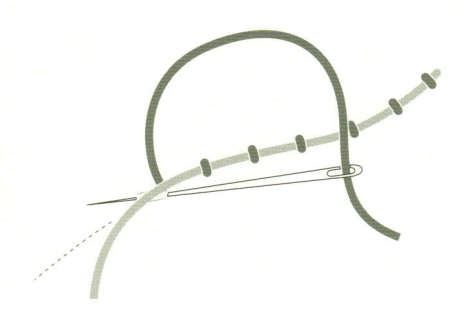

レゼーデージーステッチ

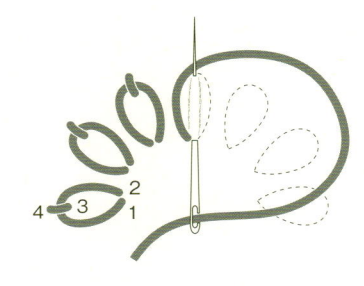

フレンチナッツステッチ
（2回巻きの場合）

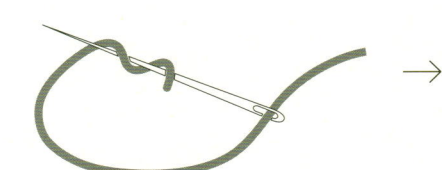

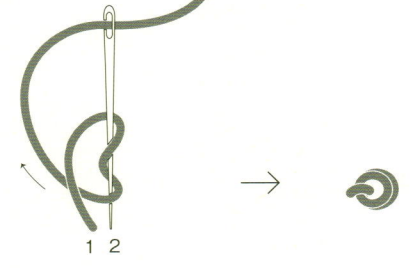

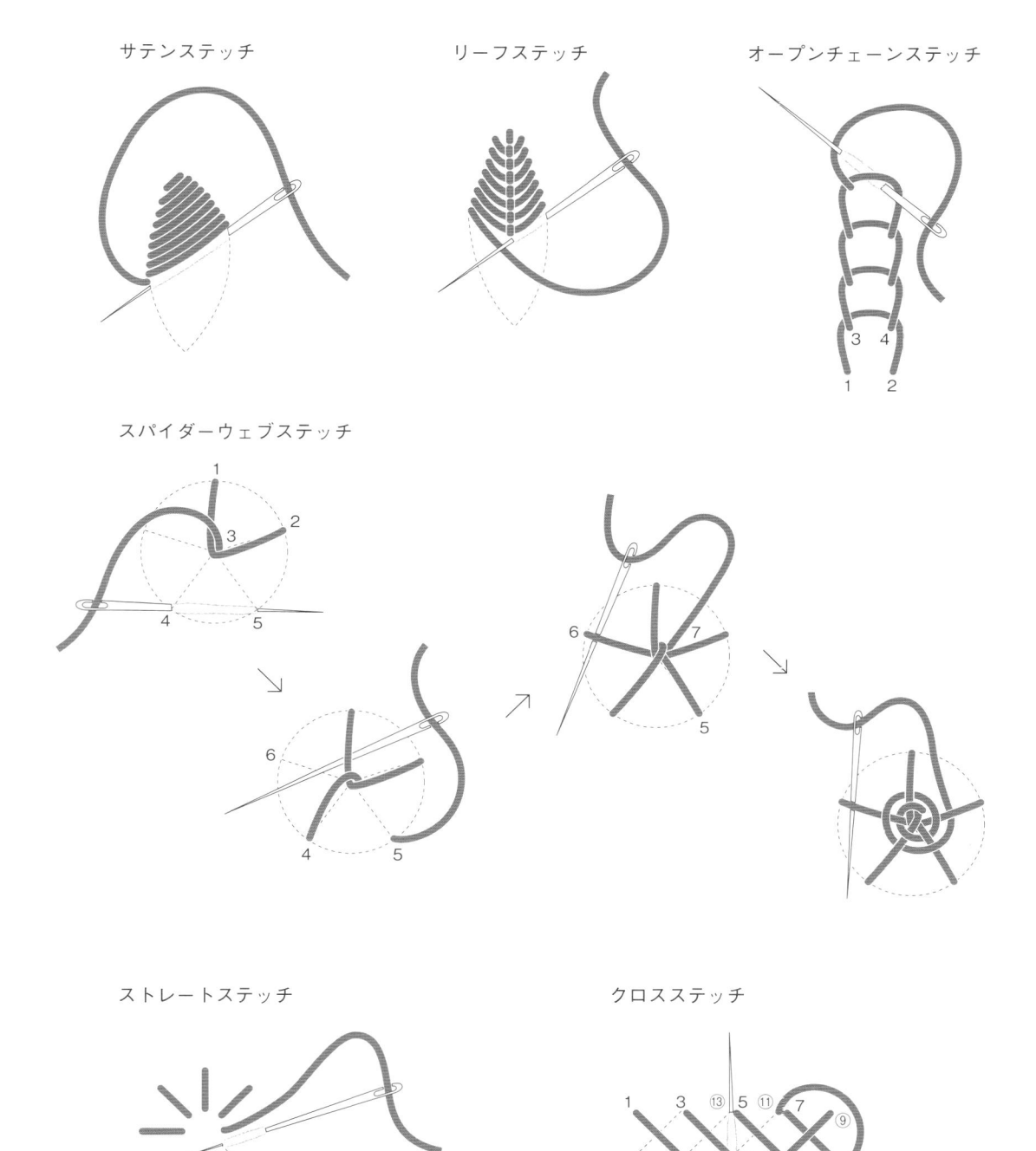

サテンステッチ　　　リーフステッチ　　　オープンチェーンステッチ

スパイダーウェブステッチ

ストレートステッチ　　　クロスステッチ

イギリスの野原　page 4

刺しゅうのサイズ　25×44cm
材料
アンカー刺しゅう糸
5番＝261、262
25番＝254、257、261、215、266、262（以上グリーン系）、
　　　903、273、306、103、90、66、939、293、387
布地　リネン（白）45×55cm
　　　ポリエステルチュール（グリーンむら染め）20×20cm
接着芯　45×55cm

254
2本どり
ストレートS

261
バックS

215

103

261
ストレートS

261

266
ストレートS

939
ストレートS

254
ストレートS

261 2本
262 1本
引きそろえ

215
アウトラインS

215
リーフS

293
サテンS

261

939
ストレートS

90
215
ストレートS

939
939
ストレートS

215
ストレートS

261

215
ストレートS

261

293
ストレートS

261 2本
262 1本
引きそろえ

90
ストレートS

262

261

215
サテンS

254
サテンS

261

262
5番
サテンS

262

261

215
サテンS
261

261

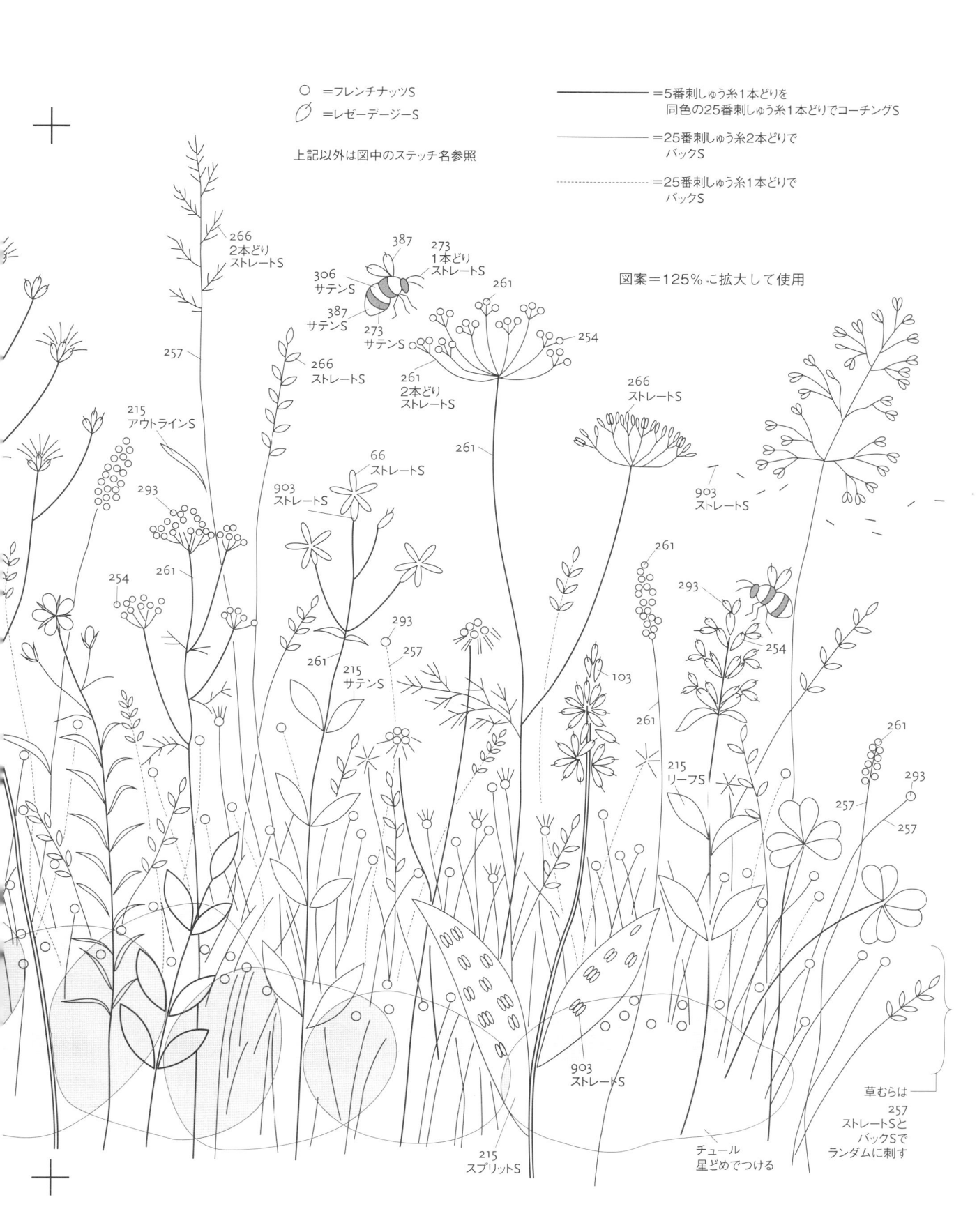

○ =フレンチナッツS
　=レゼーデージーS

上記以外は図中のステッチ名参照

――― =5番刺しゅう糸1本どりを
　　　同色の25番刺しゅう糸1本どりでコーチングS

――― =25番刺しゅう糸2本どりで
　　　バックS

------ =25番刺しゅう糸1本どりで
　　　バックS

図案=125%に拡大して使用

266
2本どり
ストレートS

257

387
273
1本どり
ストレートS

306
サテンS

387
サテンS

273
サテンS

261

266
ストレートS

261
2本どり
ストレートS

254

266
ストレートS

215
アウトラインS

293

254

261

261

66
ストレートS

903
ストレートS

261

903
ストレートS

215
サテンS

293

257

261

103

261

293

254

261

215
リーフS

261

293

257

257

903
ストレートS

215
スプリットS

チュール
星どめでつける

草むらは
257
ストレートSと
バックSで
ランダムに刺す

ヒメスイバ　page 6 左

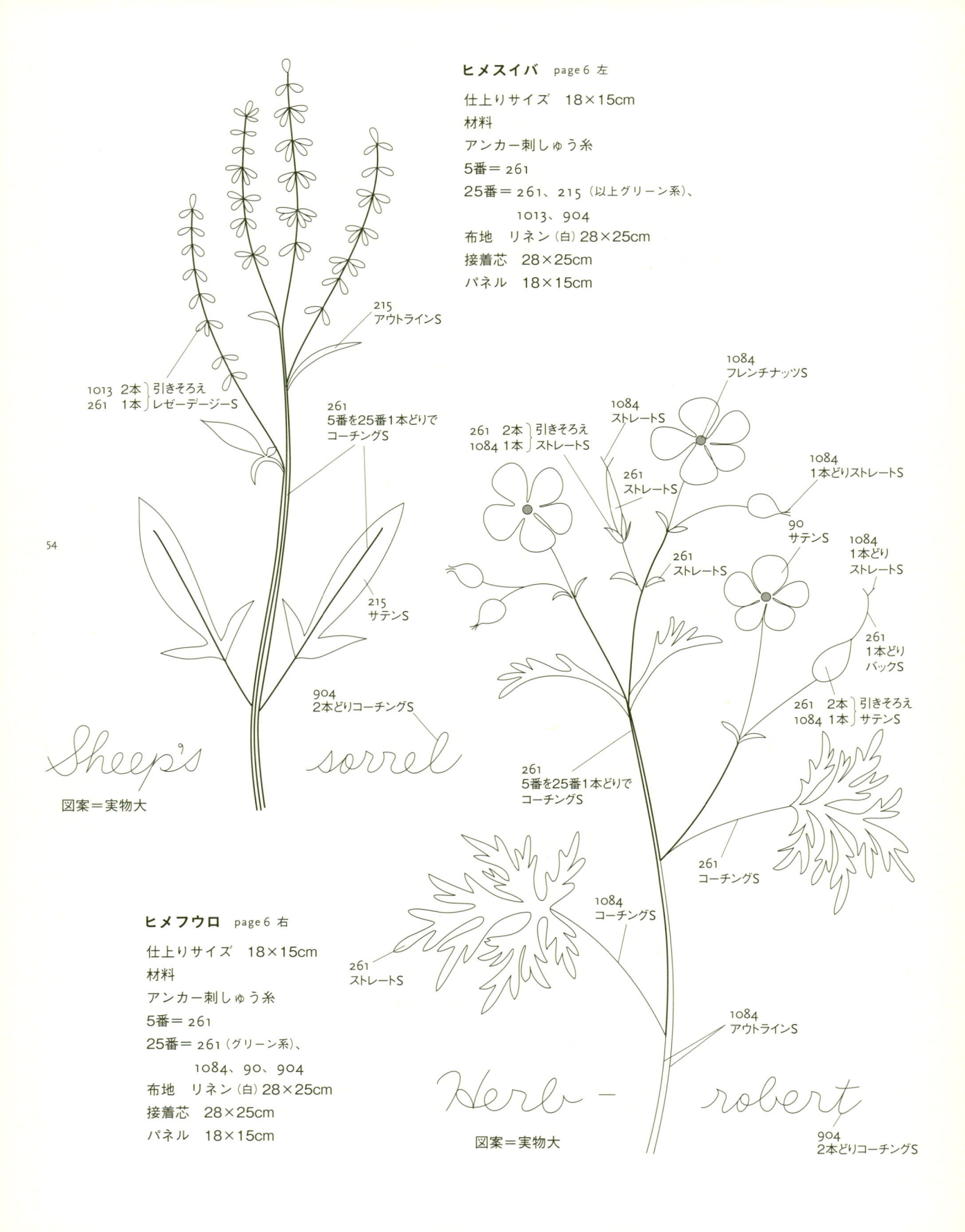

仕上りサイズ　18×15cm
材料
アンカー刺しゅう糸
5番＝261
25番＝261、215（以上グリーン系）、
　　　　1013、904
布地　リネン（白）28×25cm
接着芯　28×25cm
パネル　18×15cm

Sheep's sorrel

図案＝実物大

215 アウトラインS
1013　2本〉引きそろえ
261　　1本〉レゼーデージーS
261　5番を25番1本どりでコーチングS
215 サテンS
904 2本どりコーチングS

ヒメフウロ　page 6 右

仕上りサイズ　18×15cm
材料
アンカー刺しゅう糸
5番＝261
25番＝261（グリーン系）、
　　　　1084、90、904
布地　リネン（白）28×25cm
接着芯　28×25cm
パネル　18×15cm

Herb-robert

図案＝実物大

1084 フレンチナッツS
1084 ストレートS
261　2本〉引きそろえ
1084　1本〉ストレートS
261 ストレートS
1084 1本どりストレートS
90 サテンS
1084 1本どりストレートS
261 ストレートS
261 1本どりバックS
261　2本〉引きそろえ
1084　1本〉サテンS
261　5番を25番1本どりでコーチングS
261 コーチングS
1084 コーチングS
261 ストレートS
1084 アウトラインS
904 2本どりコーチングS

アカツメクサ page 6 右下

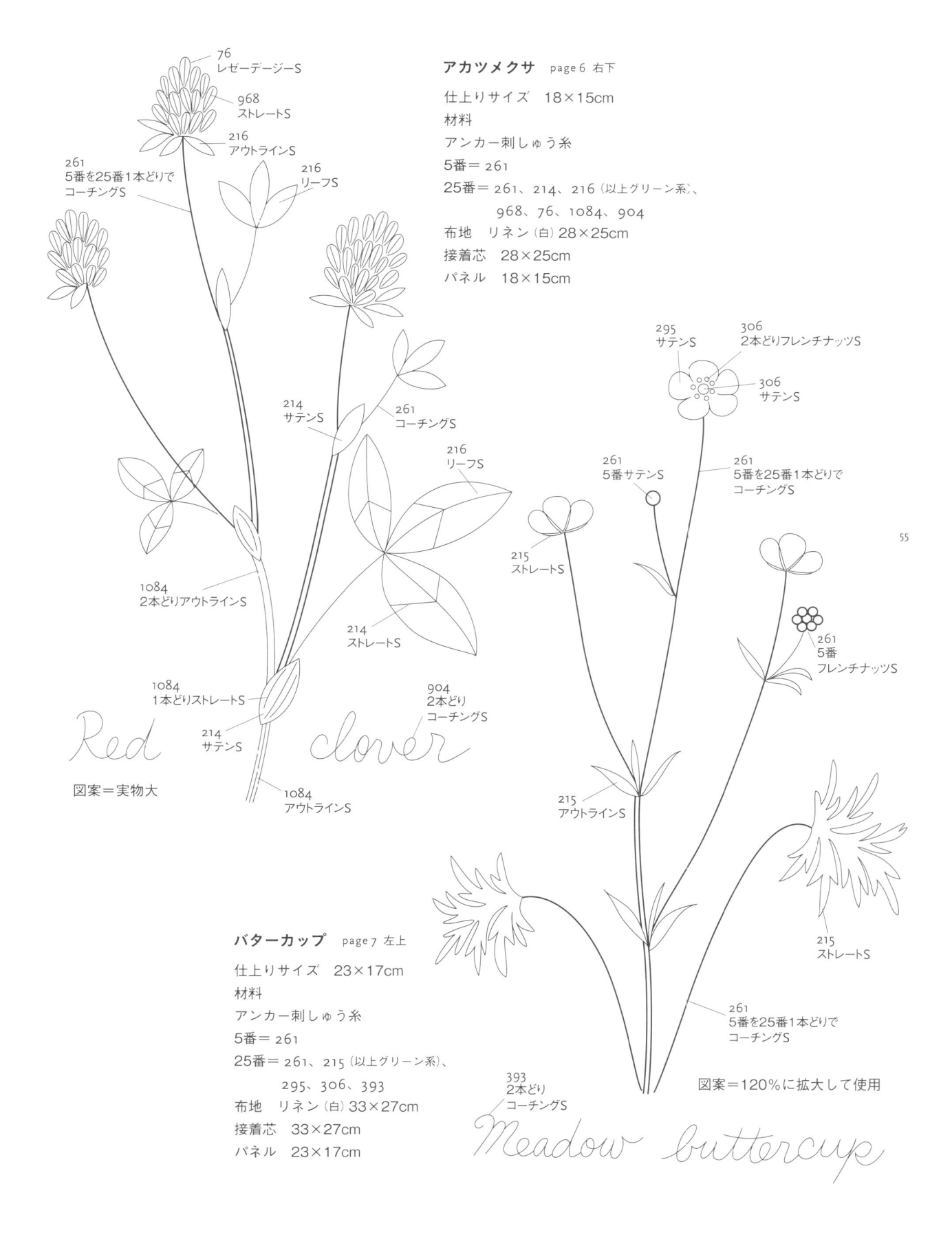

仕上りサイズ　18×15cm
材料
アンカー刺しゅう糸
5番＝261
25番＝261、214、216（以上グリーン系）、
　　　968、76、1084、904
布地　リネン（白）28×25cm
接着芯　28×25cm
パネル　18×15cm

76 レゼーデージーS
968 ストレートS
216 アウトラインS
216 リーフS
261 5番を25番1本どりでコーチングS
214 サテンS
261 コーチングS
216 リーフS
1084 2本どりアウトラインS
214 ストレートS
1084 1本どりストレートS
214 サテンS
904 2本どりコーチングS
1084 アウトラインS

Red clover

図案＝実物大

バターカップ page 7 左上

仕上りサイズ　23×17cm
材料
アンカー刺しゅう糸
5番＝261
25番＝261、215（以上グリーン系）、
　　　295、306、393
布地　リネン（白）33×27cm
接着芯　33×27cm
パネル　23×17cm

295 サテンS
306 2本どりフレンチナッツS
306 サテンS
261 5番を25番1本どりでコーチングS
261 5番サテンS
215 ストレートS
261 5番フレンチナッツS
215 アウトラインS
215 ストレートS
261 5番を25番1本どりでコーチングS
393 2本どりコーチングS

Meadow buttercup

図案＝120%に拡大して使用

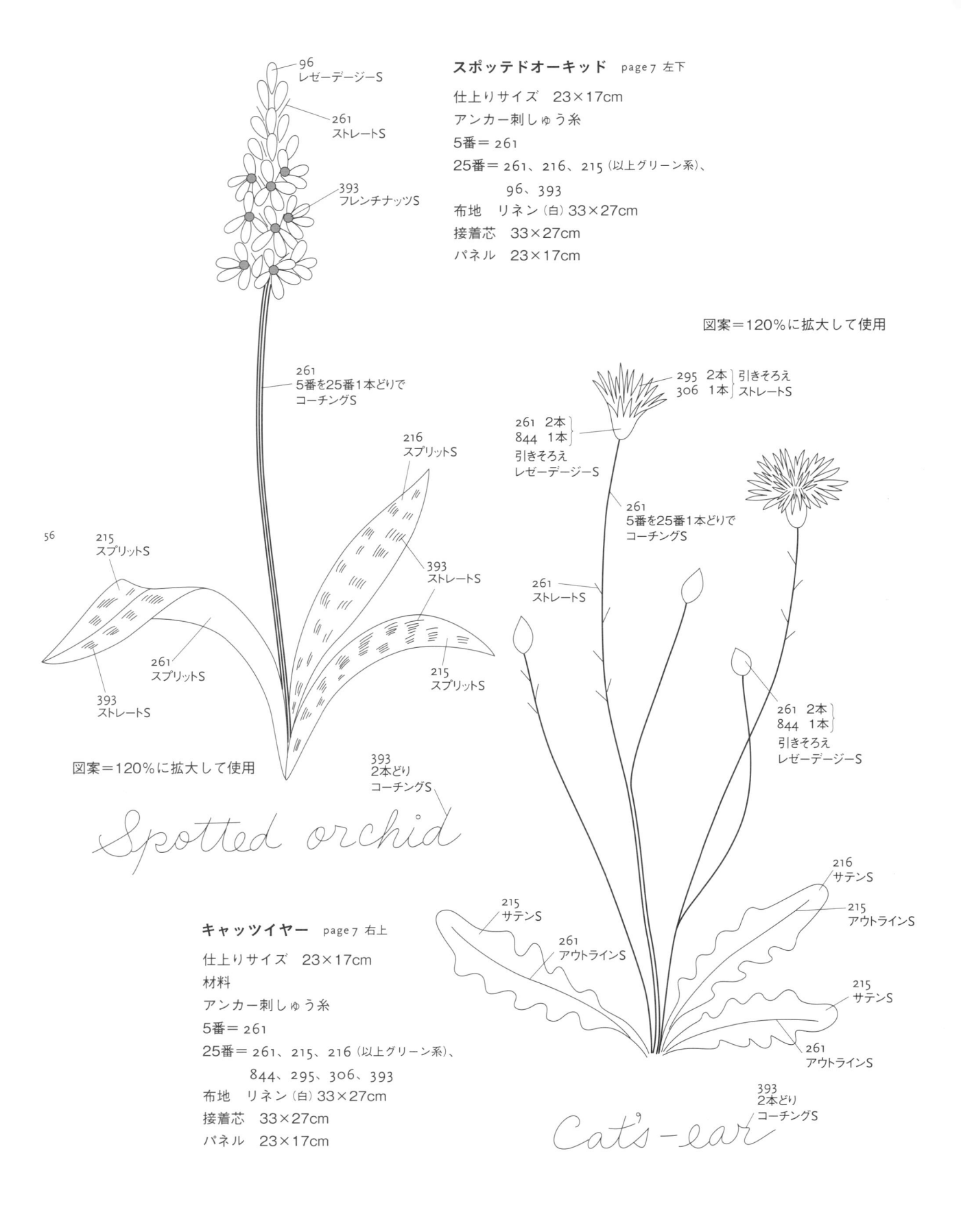

96
レゼーデージーS

261
ストレートS

393
フレンチナッツS

261
5番を25番1本どりで
コーチングS

216
スプリットS

215
スプリットS

393
ストレートS

261
スプリットS

393
ストレートS

215
スプリットS

393
2本どり
コーチングS

図案＝120%に拡大して使用

Spotted orchid

スポッテドオーキッド　page 7 左下

仕上りサイズ　23×17cm
アンカー刺しゅう糸
5番＝261
25番＝261、216、215（以上グリーン系）、
　　　96、393
布地　リネン（白）33×27cm
接着芯　33×27cm
パネル　23×17cm

図案＝120%に拡大して使用

295　2本　引きそろえ
306　1本　ストレートS

261　2本
844　1本
引きそろえ
レゼーデージーS

261
5番を25番1本どりで
コーチングS

261
ストレートS

261　2本
844　1本
引きそろえ
レゼーデージーS

216
サテンS

215
アウトラインS

215
サテンS

261
アウトラインS

215
サテンS

261
アウトラインS

393
2本どり
コーチングS

キャッツイヤー　page 7 右上

仕上りサイズ　23×17cm
材料
アンカー刺しゅう糸
5番＝261
25番＝261、215、216（以上グリーン系）、
　　　844、295、306、393
布地　リネン（白）33×27cm
接着芯　33×27cm
パネル　23×17cm

Cat's-ear

118
1本どり
ストレートS

109
レゼーデージーS

109
フレンチナッツS

図案＝120％に拡大して使用

265
フレンチナッツS

215
ストレートS

215
サテンS

261
5番を25番1本どりで
コーチングS

393
2本どり
コーチングS

Field scabious

マツムシソウ page7 右下

仕上がりサイズ　23×17cm
材料
アンカー刺しゅう糸
5番＝261
25番＝261、215、265（以上グリーン系）、
　　　109、118、393
布地　リネン（白）33×27cm
接着芯　33×27cm
パネル　23×17cm

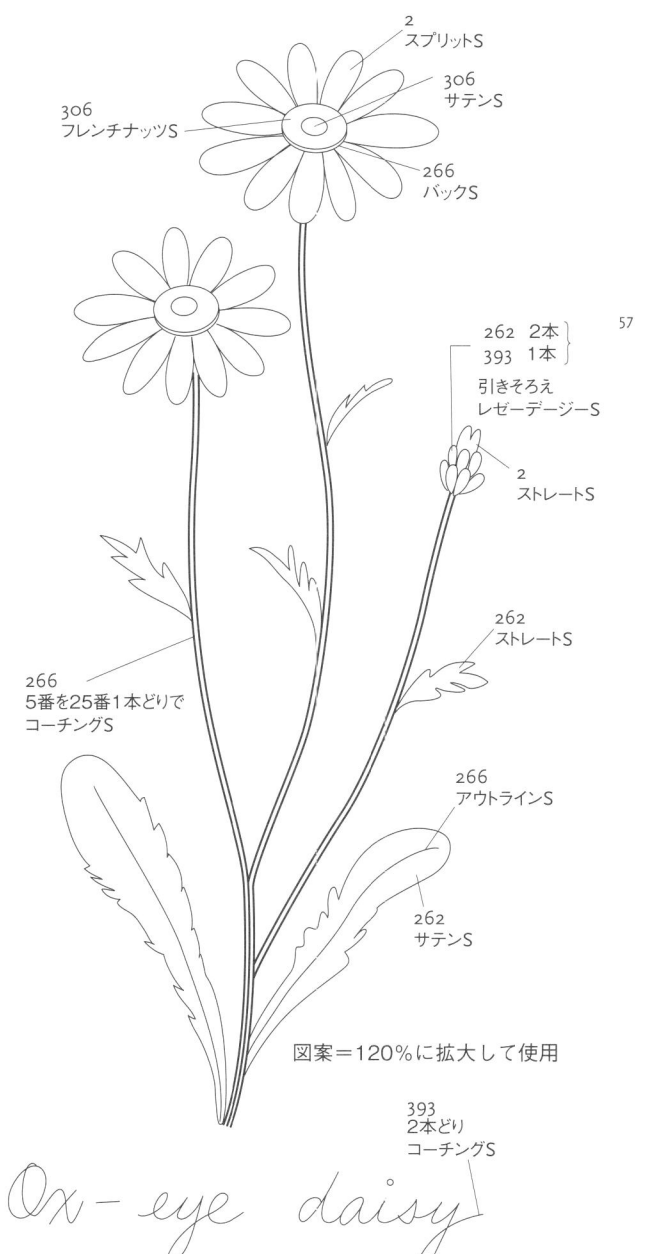

2
スプリットS

306
サテンS

306
フレンチナッツS

266
バックS

262　2本
393　1本
引きそろえ
レゼーデージーS

2
ストレートS

262
ストレートS

266
5番を25番1本どりで
コーチングS

266
アウトラインS

262
サテンS

図案＝120％に拡大して使用

393
2本どり
コーチングS

Ox-eye daisy

オックスアイデイジー page8 左

仕上がりサイズ　23×17cm
材料
アンカー刺しゅう糸
5番＝266
25番＝266、262（以上グリーン系）、
　　　2、306、393
布地　ピュアリネン（エクル）33×27cm
接着芯　33×27cm
パネル　23×17cm

図案＝120％に拡大して使用

2
フレンチナッツS

266
コーチングS

266
1本どり
ストレートS

266
5番を25番1本どりで
コーチングS

262
ストレートS

266
バックS

393
2本どり
コーチングS

Cow parsley

カウパセリ　page 8 右

仕上りサイズ　23×17cm
材料
アンカー刺しゅう糸
5番＝266
25番＝266、262（以上グリーン系）、
　　　2、393
布地　ピュアリネン（エクル）33×27cm
接着芯　33×27cm
パネル　23×17cm

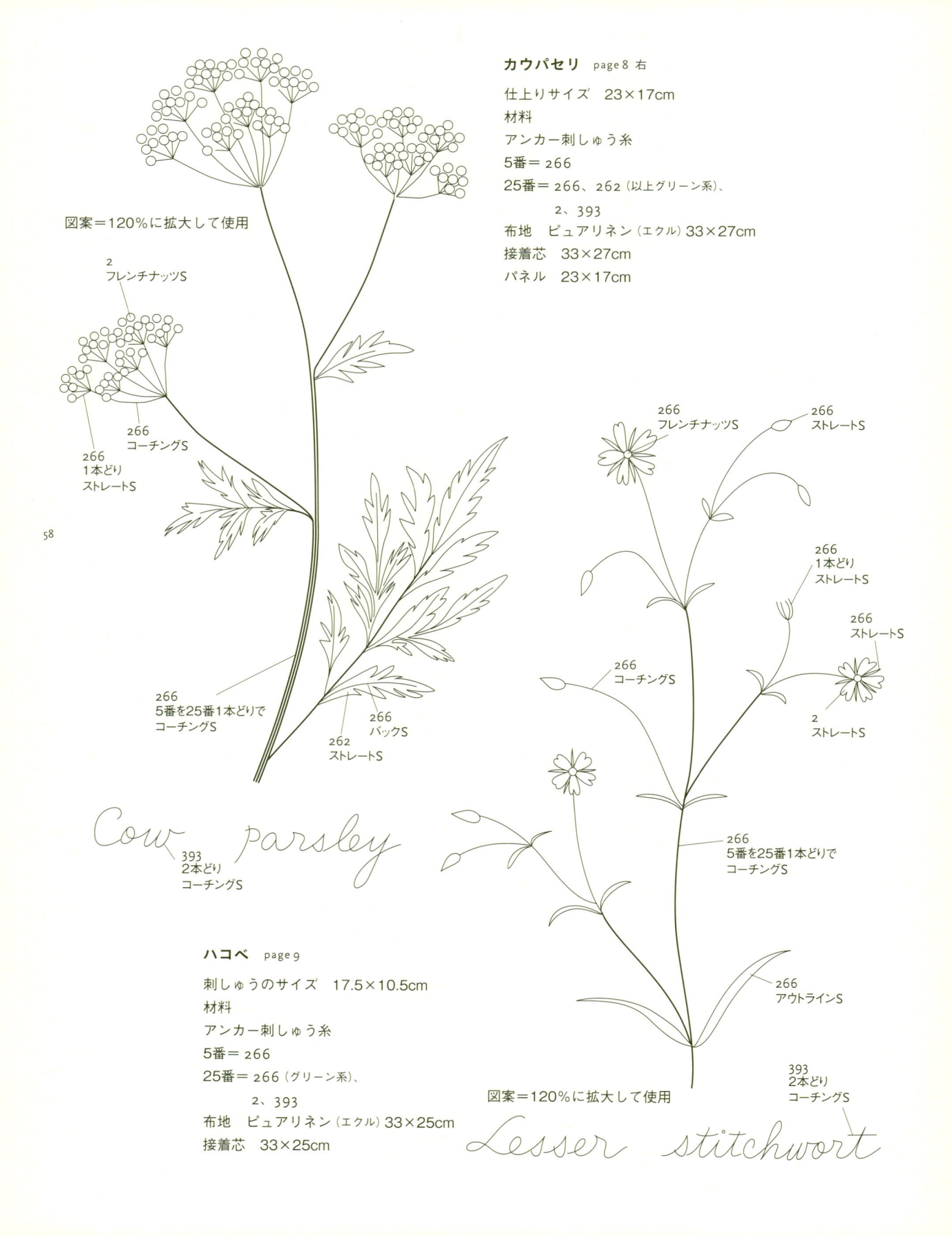

266
フレンチナッツS

266
ストレートS

266
1本どり
ストレートS

266
コーチングS

266
ストレートS

2
ストレートS

266
5番を25番1本どりで
コーチングS

266
アウトラインS

393
2本どり
コーチングS

図案＝120％に拡大して使用

Lesser stitchwort

ハコベ　page 9

刺しゅうのサイズ　17.5×10.5cm
材料
アンカー刺しゅう糸
5番＝266
25番＝266（グリーン系）、
　　　2、393
布地　ピュアリネン（エクル）33×25cm
接着芯　33×25cm

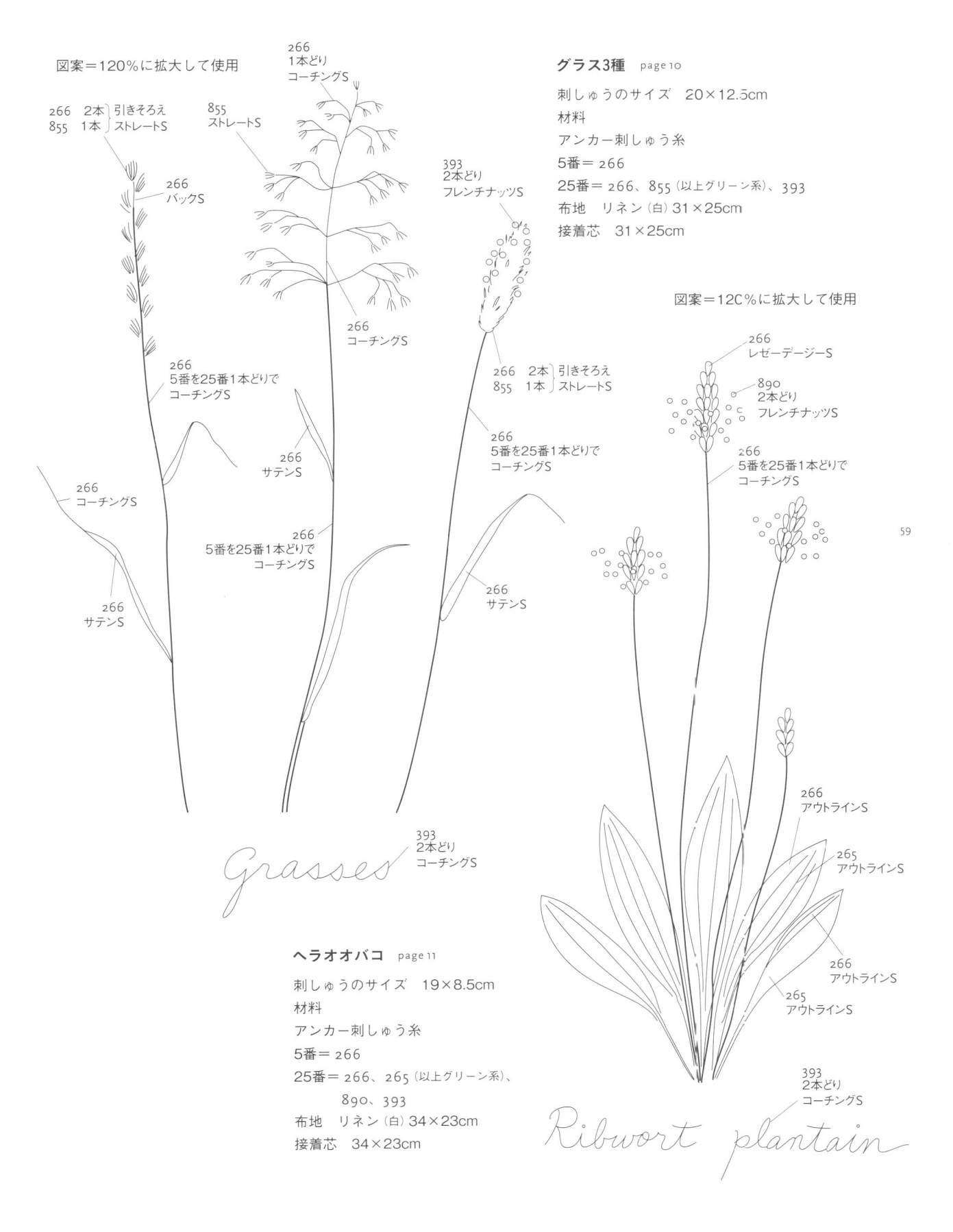

図案=120%に拡大して使用

266　2本　引きそろえ
855　1本　ストレートS

266
バックS

266
1本どり
コーチングS

855
ストレートS

393
2本どり
フレンチナッツS

グラス3種　page 10

刺しゅうのサイズ　20×12.5cm

材料

アンカー刺しゅう糸

5番＝266

25番＝266、855（以上グリーン系）、393

布地　リネン（白）31×25cm

接着芯　31×25cm

266
コーチングS

266
5番を25番1本どりで
コーチングS

266
サテンS

266
5番を25番1本どりで
コーチングS

266　2本　引きそろえ
855　1本　ストレートS

266
5番を25番1本どりで
コーチングS

266
サテンS

266
コーチングS

266
サテンS

図案=120%に拡大して使用

266
レゼーデージーS

890
2本どり
フレンチナッツS

266
5番を25番1本どりで
コーチングS

266
アウトラインS

265
アウトラインS

266
アウトラインS

265
アウトラインS

393
2本どり
コーチングS

Grasses

393
2本どり
コーチングS

ヘラオオバコ　page 11

刺しゅうのサイズ　19×8.5cm

材料

アンカー刺しゅう糸

5番＝266

25番＝266、265（以上グリーン系）、
　　　890、393

布地　リネン（白）34×23cm

接着芯　34×23cm

Ribwort plantain

ブランブル page 12

材料
アンカー刺しゅう糸
25番＝945、261、215（以上グリーン系）、
　　　123、122、1006、1024、
　　　1020
布地　リネン（白）適量
接着芯　適量

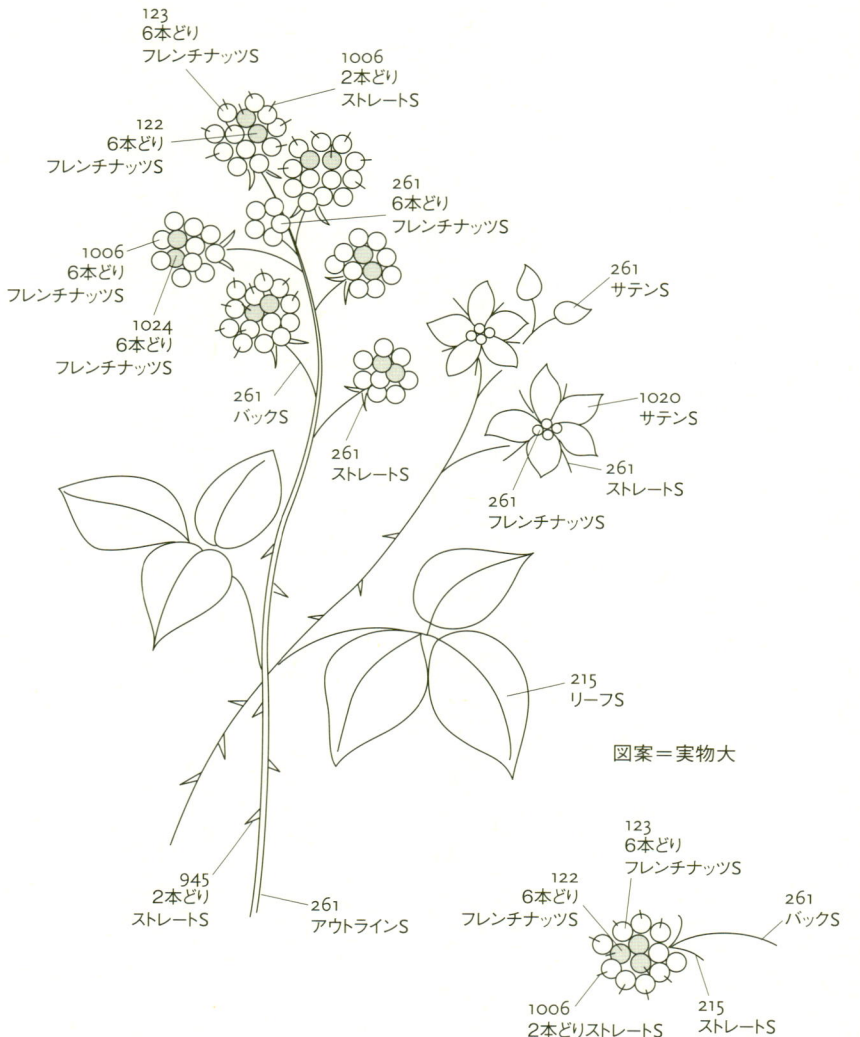

123
6本どり
フレンチナッツS

1006
2本どり
ストレートS

122
6本どり
フレンチナッツS

261
6本どり
フレンチナッツS

1006
6本どり
フレンチナッツS

261
サテンS

1024
6本どり
フレンチナッツS

1020
サテンS

261
バックS

261
ストレートS

261
ストレートS

261
フレンチナッツS

215
リーフS

945
2本どり
ストレートS

261
アウトラインS

123
6本どり
フレンチナッツS

122
6本どり
フレンチナッツS

261
バックS

1006
2本どりストレートS

215
ストレートS

図案＝実物大

ハリネズミ　裏カバー

刺しゅうのサイズ　3.5×15.5cm
材料
アンカー刺しゅう糸
25番＝387、392、273
布地　リネン（白）16×28cm
抜きキャンバス　10目/1cmを5×8cm
接着芯　16×28cm

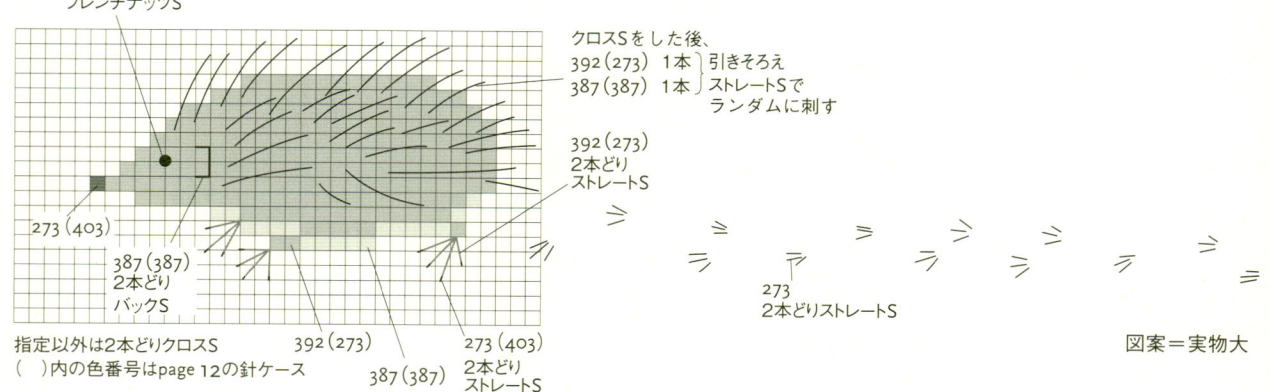

273（403）
2本どり
フレンチナッツS

クロスSをした後、
392（273）1本　引きそろえ
387（387）1本　ストレートSで
　　　　　　　　ランダムに刺す

392（273）
2本どり
ストレートS

273（403）

387（387）
2本どり
バックS

指定以外は2本どりクロスS
（　）内の色番号はpage 12の針ケース

392（273）
387（387）

273（403）
2本どり
ストレートS

273
2本どりストレートS

図案＝実物大

ミツバチのピンクッション　page 13

仕上りサイズ　直径10×高さ5cm

材料

アンカー刺しゅう糸
5番＝309
25番＝306、386、236
布地　ピュアリネン（エクル）20×20cm
市販（イギリス製）の直径9cmのピンクッション台

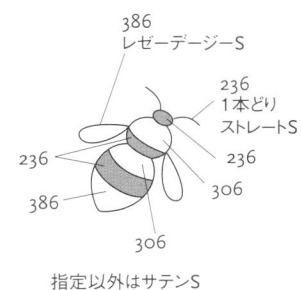

図案＝実物大

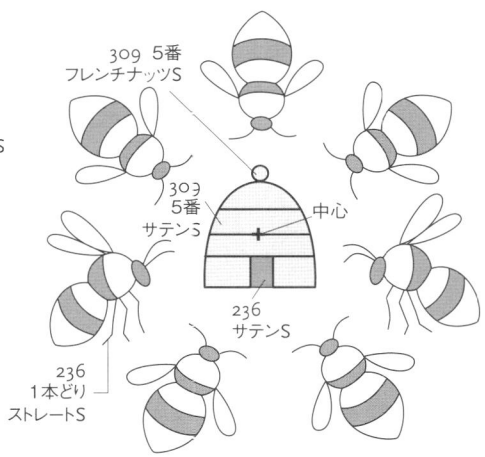

指定以外はサテンS

① 表布に刺しゅうをし、直径14にカット（クッションが直径9の場合）
② ぐし縫いを2本する
クッションに表布をかぶせ、ぐし縫いの糸を2本一緒に引いて、とめる
木枠の中にクッションを入れて、底側からボルトで固定する

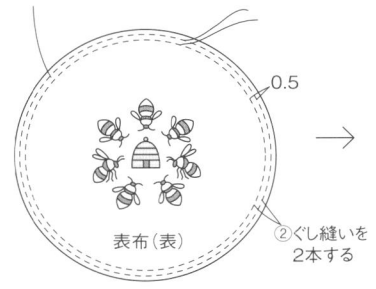

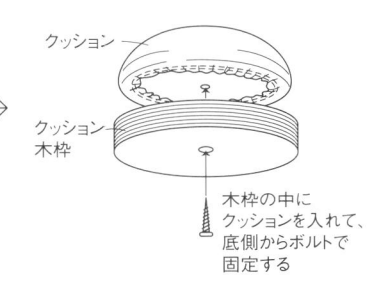

ハリネズミの針ケース　page 12

仕上りサイズ　8×8cm

材料

アンカー刺しゅう糸
25番＝387、273、403
布地　表紙用表布＝ピュアリネン（エクル）20×10cm
　　　表紙用、ノート用フェルト（白）各16×16cm
抜きキャンバス　10目/1cmを5×8cm
薄手接着芯　20×10cm
リネンテープ　0.3cm幅17.5cmを2本
図案　左ページ参照

表紙用表布、フェルト（各1枚）
テープつけ位置
8
16

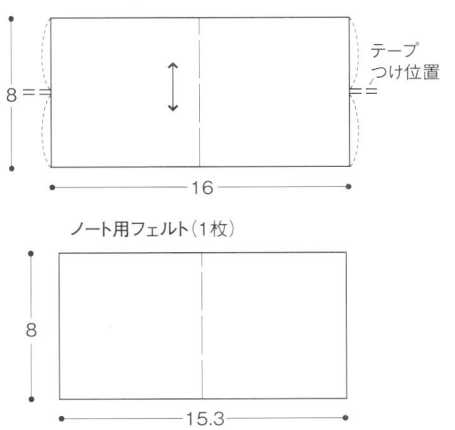

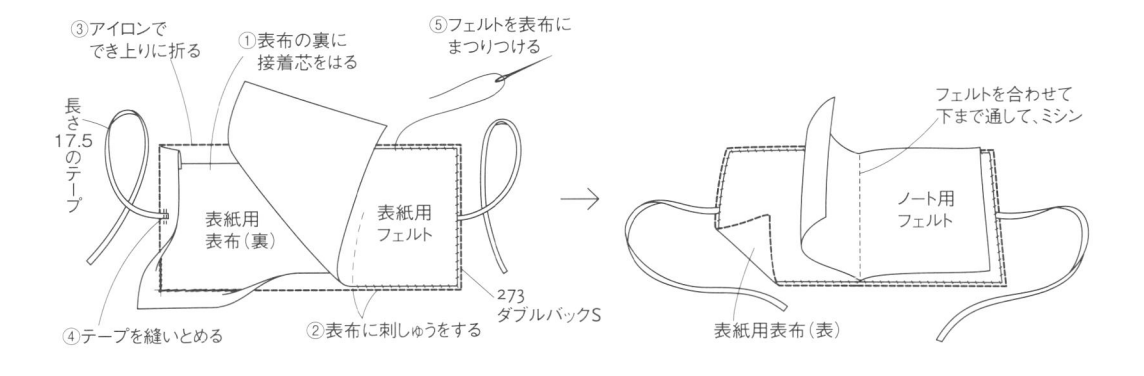

ノート用フェルト（1枚）
8
15.3

① 表布の裏に接着芯をはる
② 表布に刺しゅうをする
③ アイロンででき上りに折る
④ テープを縫いとめる
⑤ フェルトを表布にまつりつける
長さ17.5のテープ
表紙用表布（裏）
表紙用フェルト
273 ダブルバックS
フェルトを合わせて下まで通して、ミシン
ノート用フェルト
表紙用表布（表）

2 レゼーデージーS
74 ストレートS
266 アウトラインS
262 レゼーデージーS
図案＝実物大

306 フレンチナッツS
266 バックS
262 レゼーデージーS

デイジーのブックカバー　page 14

仕上りサイズ　16×24cm（文庫本用）
材料
アンカー刺しゅう糸
25番＝266、262（以上グリーン系）、
　　　2、306、74
布地　ピュアリネン（エクル）45×20cm
薄手接着芯　45×20cm
グログランリボン　1.5cm幅18cm

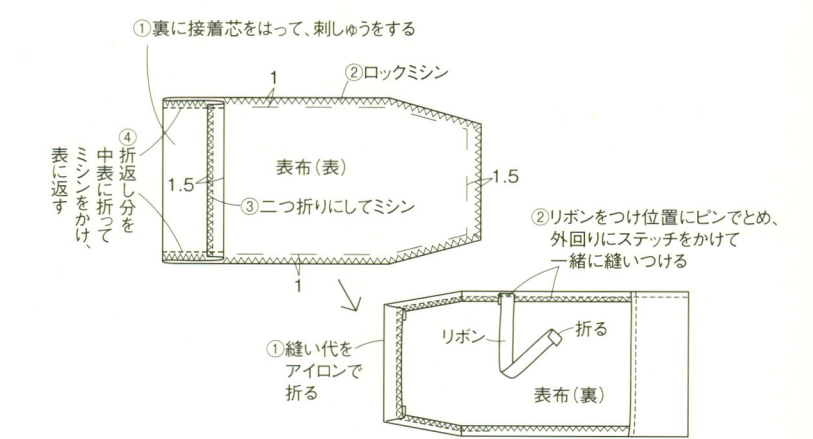

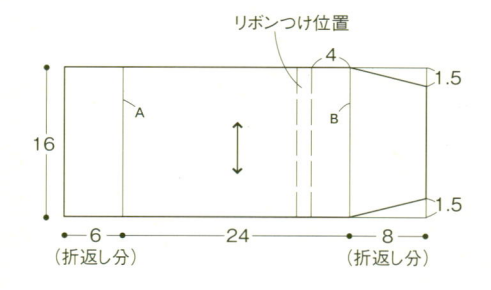

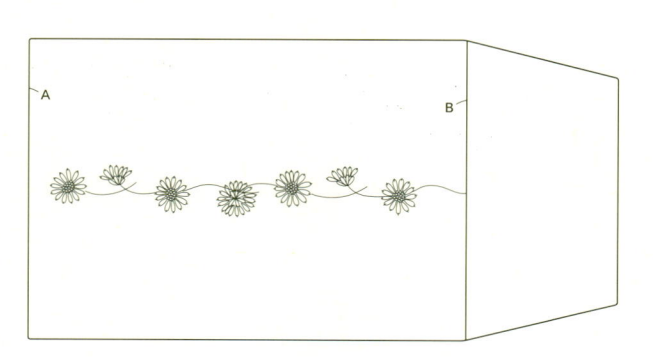

①裏に接着芯をはって、刺しゅうをする
②ロックミシン
表布（表）
④折返し分を中表に折ってミシンをかけ、表に返す
③二つ折りにしてミシン
1.5
1.5
1
1

①縫い代をアイロンで折る
②リボンをつけ位置にピンでとめ、外回りにステッチをかけて一緒に縫いつける
リボン
折る
表布（裏）

リボンつけ位置
A　B
16
6（折返し分）
24
8（折返し分）
4
1.5
1.5

全体図案＝150％に拡大して使用

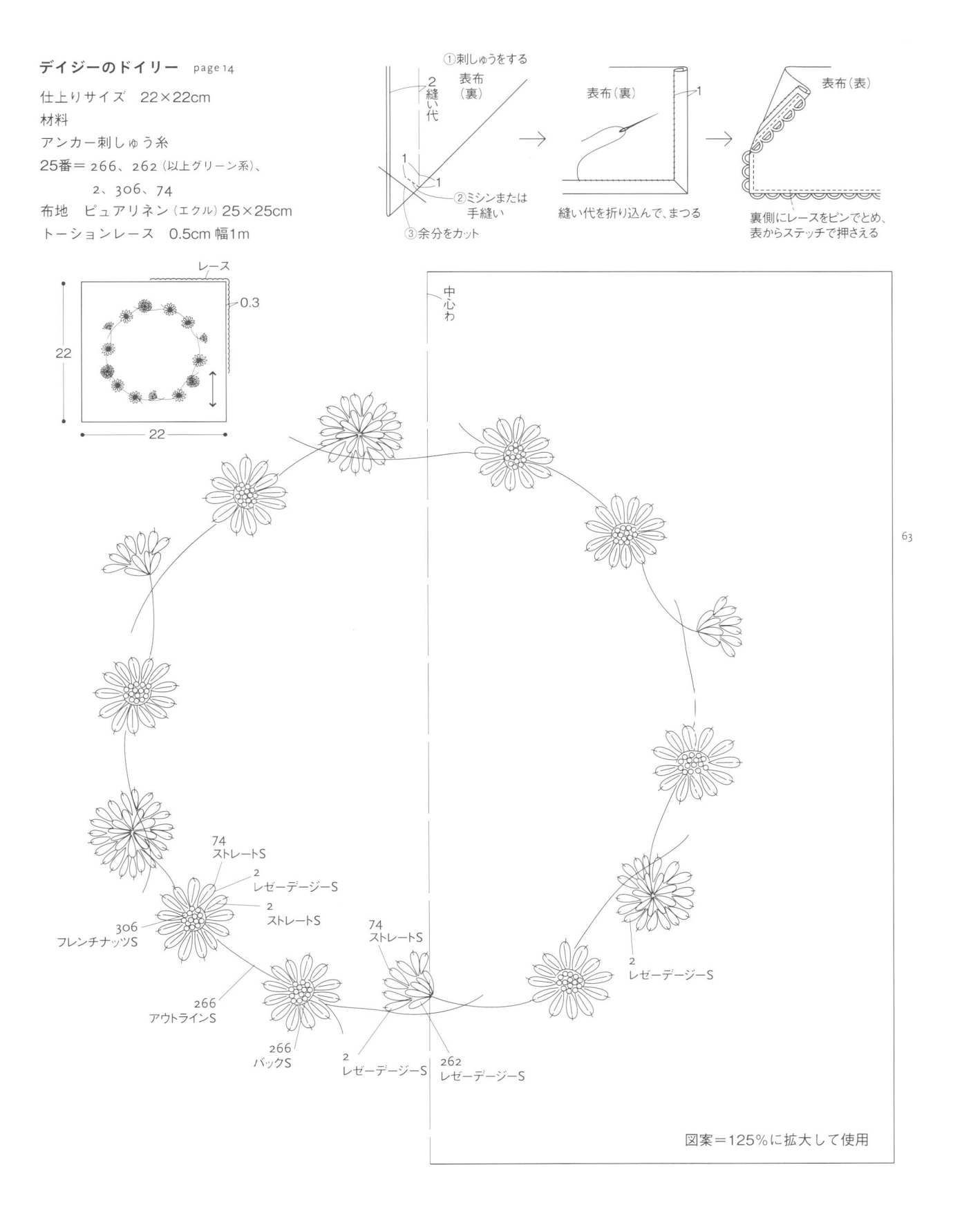

デイジーのドイリー page 14

仕上りサイズ　22×22cm

材料

アンカー刺しゅう糸

25番＝266、262（以上グリーン系）、
　　　2、306、74

布地　ピュアリネン（エクル）25×25cm

トーションレース　0.5cm幅1m

①刺しゅうをする
②ミシンまたは手縫い
③余分をカット

表布（裏）
2 縫い代

縫い代を折り込んで、まつる

裏側にレースをピンでとめ、表からステッチで押さえる

レース
0.3
22
22

中心わ

74　ストレートS
2　レゼーデージーS
2　ストレートS
306　フレンチナッツS
266　アウトラインS
266　バックS
2　レゼーデージーS
262　レゼーデージーS
74　ストレートS
2　レゼーデージーS

図案＝125％に拡大して使用

デージー — page 15

刺しゅうのサイズ 20.5×22cm

材料
アンカー刺しゅう糸
25番＝266、267、262（以上グリーン系）、
2、306、74、393、273
布地　ピュアリネン（エクル）47×44cm
接着芯　47×44cm

図案＝125％に拡大して使用

1
393　2本どりコーチングS
レゼーデージーS
2
306　フレンチナッツS
266　アウトラインS
74　ストレートS

2
262　レゼーデージーS
2　レゼーデージーS

3
273　2本どりコーチングS

Daisy

4

5
306　フレンチナッツS
262　レゼーデージーS
2　レゼーデージーS
74　ストレートS
266　アウトラインS

262
266
267
葉はすべて
スプリットS
393　2本どり
バックS

ミツバチ page 16

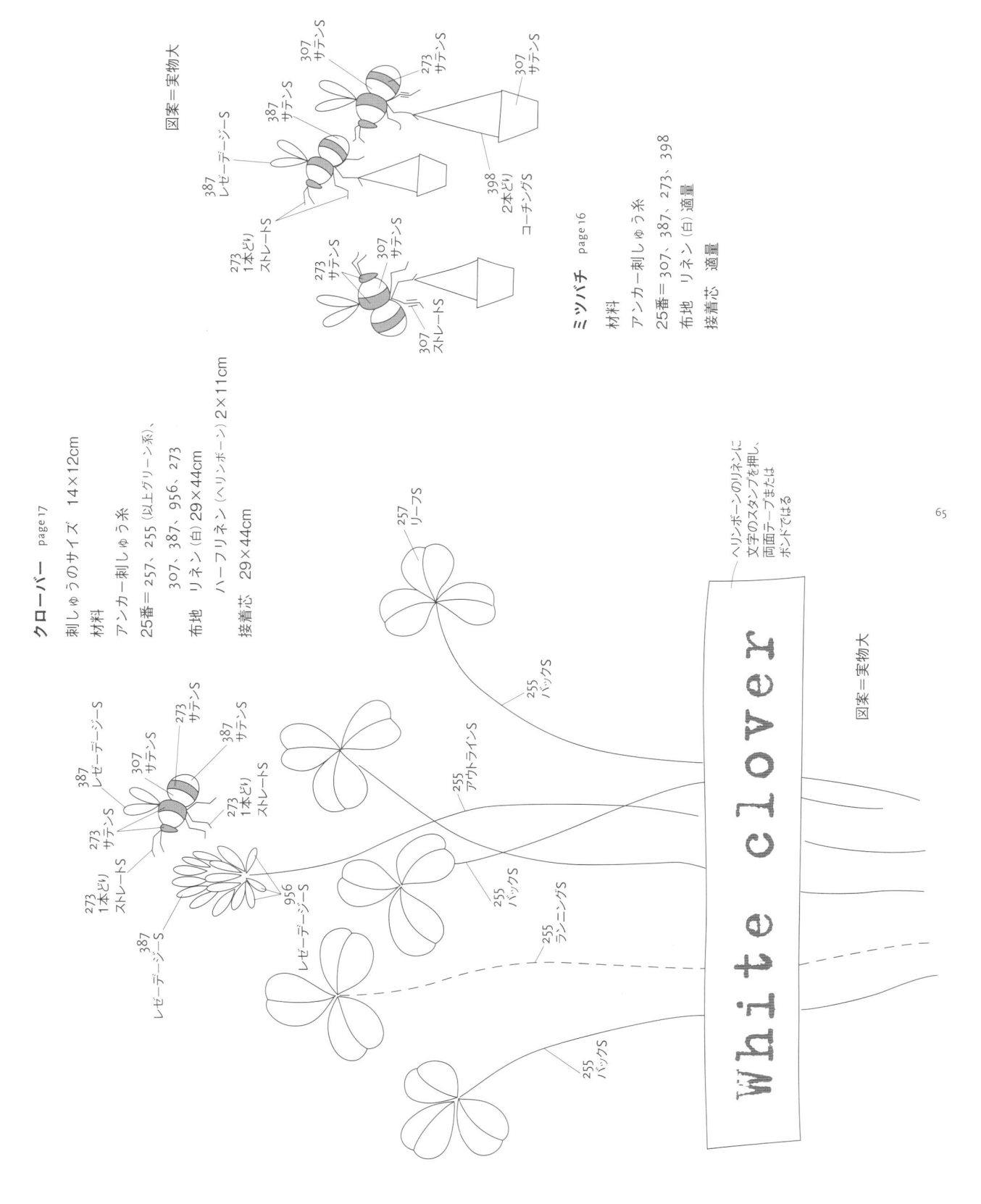

材料
アンカー刺しゅう糸
25番＝307、387、273、398
布地 リネン（白）適量
接着芯 適量

図案＝実物大

クローバー page 17

刺しゅうのサイズ 14×12cm

材料
アンカー刺しゅう糸
25番＝257、255（以上グリーン系）、
　　　307、387、956、273
布地 リネン（白）29×44cm
ハーフリネン（ヘリンボーン）2×11cm
接着芯 29×44cm

White clover

図案＝実物大

ヘリンボーンのリネンに文字のスタンプを押し、両面テープまたはボンドではる

クローバーのポーチ page 16

仕上りサイズ 約15.5×13cm
材料
アンカー刺しゅう糸
25番＝257、255（以上グリーン系）、
　　　 1025、401
布地　表布＝ハーフリネン20×40cm
　　　裏布＝フェルト（グリーン）20×35cm
薄手接着芯　20×40cm
口金　10×4cmを1個

表布
裏布（フェルト）
縫止り

257 リーフS
401 1本どり ストレートS
255 バックS
401 サテンS
1025 サテンS
401 2本どり フレンチナッツS
401 2本どり バックS

わ

図案とパターン＝実物大

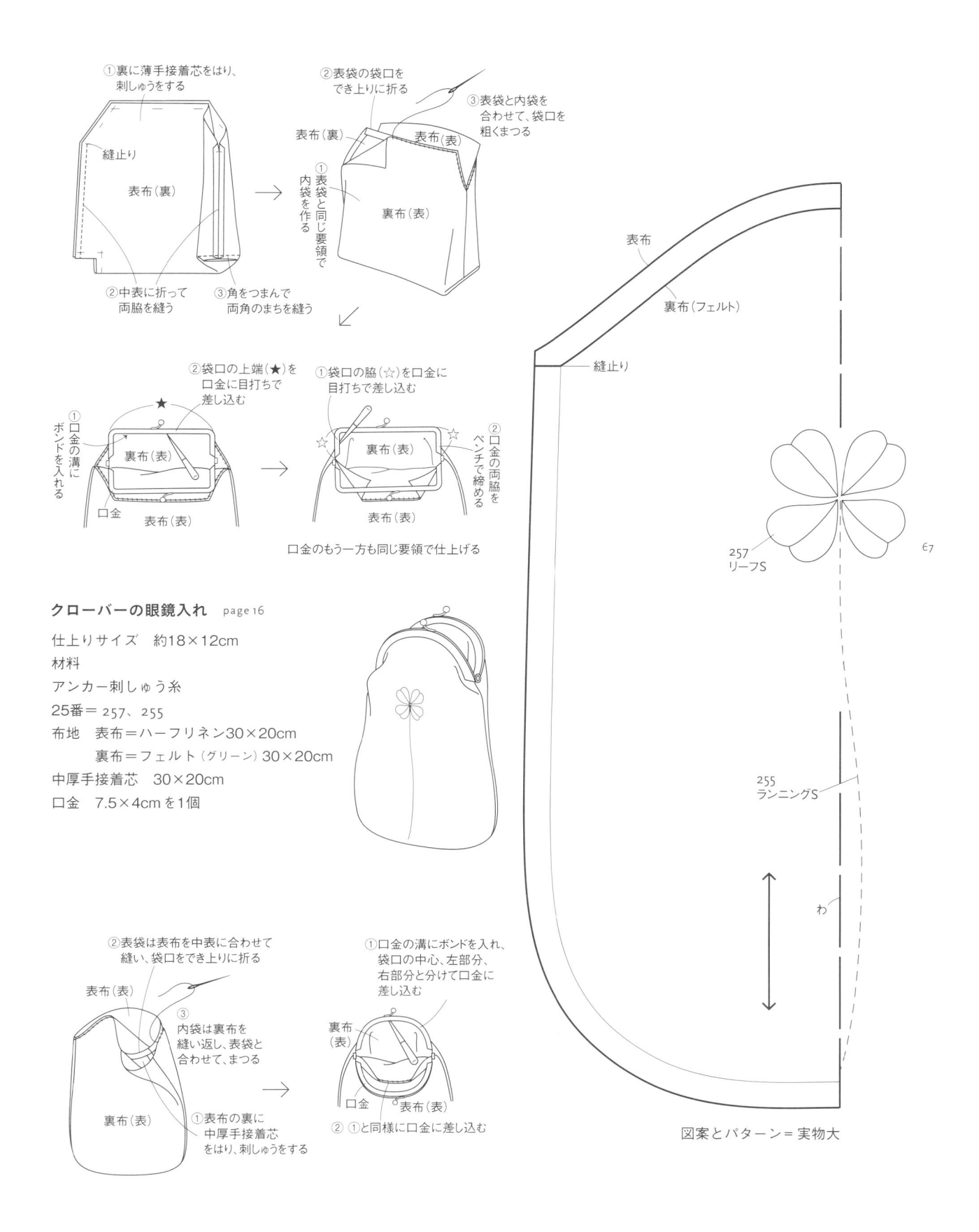

① 裏に薄手接着芯をはり、刺しゅうをする
② 中表に折って両脇を縫う
③ 角をつまんで両角のまちを縫う
縫止り
表布(裏)

① 表袋と同じ要領で内袋を作る
② 表袋の袋口をでき上りに折る
③ 表袋と内袋を合わせて、袋口を粗くまつる
表布(裏)
表布(表)
裏布(表)

① 口金の溝にボンドを入れる
② 袋口の上端(★)を口金に目打ちで差し込む
裏布(表)
口金
表布(表)

① 袋口の脇(☆)を口金に目打ちで差し込む
② 口金の両脇をペンチで締める
裏布(表)
表布(表)

口金のもう一方も同じ要領で仕上げる

クローバーの眼鏡入れ　page 16

仕上りサイズ　約18×12cm
材料
アンカー刺しゅう糸
25番＝ 257、255
布地　表布＝ハーフリネン30×20cm
　　　裏布＝フェルト(グリーン) 30×20cm
中厚手接着芯　30×20cm
口金　7.5×4cm を1個

① 表布の裏に中厚手接着芯をはり、刺しゅうをする
② 表袋は表布を中表に合わせて縫い、袋口をでき上りに折る
③ 内袋は裏布を縫い返し、表袋と合わせて、まつる
表布(表)
裏布(表)

① 口金の溝にボンドを入れ、袋口の中心、左部分、右部分と分けて口金に差し込む
② ①と同様に口金に差し込む
裏布(表)
口金
表布(表)

表布
裏布(フェルト)
縫止り

257 リーフS
255 ランニングS
わ

図案とパターン＝実物大

バラのアーチ　page 19

仕上りサイズ　25.5×32.5cm
材料
アンカー刺しゅう糸
5番＝262、266
25番＝262、265、257（以上グリーン系）、
　　　968、76、890、275
布地　リネン（白）35.5×42.5cm
　　　ポリエステルチュール
　　　（グリーンむら染め）20×20cm
接着芯　35.5×42.5cm
鉛のシート　少々
針金　30cm
パネル　25.5×32.5cm
point
鉛のシートは両面テープか
ボンドではりつけ、
針金は透明糸でとめつける。

968
6本どり
スパイダーウェブS

257
レゼーデージーS

265
バックS

968
サテンS

265
サテンS

262
5番を25番1本どりで
コーチングS

266 5番を
265 25番1本どりで
コーチングS

265
フレンチナッツS

76
サテンS

265
2本どり
ストレートS

265
2本どり
アウトラインS

890
3回巻きフレンチナッツS

275
レゼーデージーS

265
アウトラインS

265
ストレートS

257
1本どり
バックS

275
フレンチナッツS

275
フレンチナッツS

チュールを楕円形に
カットして重ね、
目立たないように
星どめする

針金をペンチで曲げ、
透明糸でとめつける

鉛のシートをカットして
ボンドではりつけるか、
両面テープではってもいい

図案＝実物大

バラ page 18

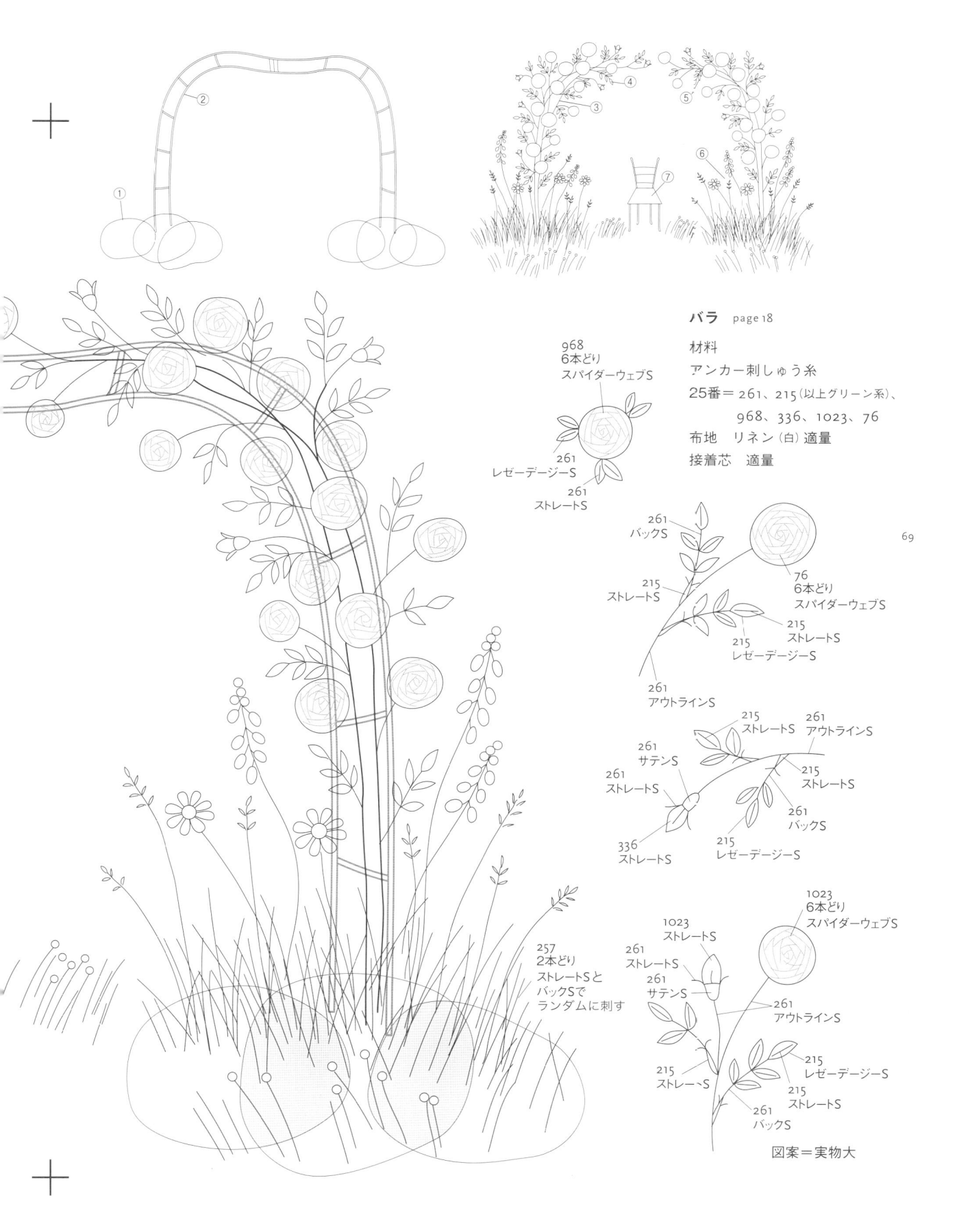

材料
アンカー刺しゅう糸
25番＝261、215（以上グリーン系）、
　　　968、336、1023、76
布地　リネン（白）適量
接着芯　適量

968
6本どり
スパイダーウェブS

261
レゼーデージーS

261
ストレートS

261
バックS

215
ストレートS

76
6本どり
スパイダーウェブS

215
ストレートS

215
レゼーデージーS

261
アウトラインS

261
ストレートS
アウトラインS

261
サテンS

215
ストレートS

261
ストレートS

215
ストレートS

261
バックS

336
ストレートS

215
レゼーデージーS

257
2本どり
ストレートSと
バックSで
ランダムに刺す

1023
6本どり
スパイダーウェブS

1023
ストレートS

261
ストレートS

261
サテンS

261
アウトラインS

215
ストレートS

215
レゼーデージーS

215
ストレートS

261
バックS

図案＝実物大

フリチラリア page 20

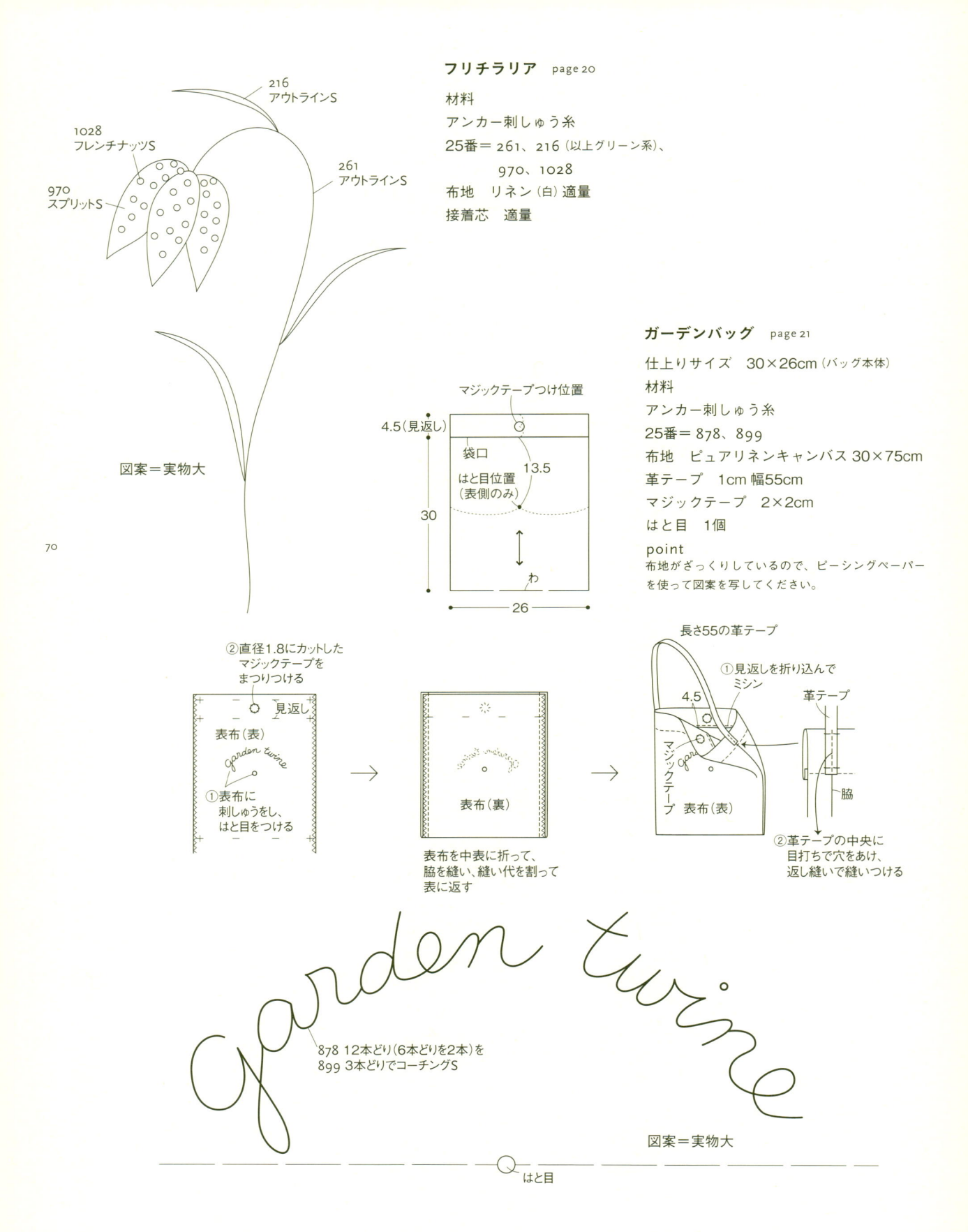

材料
アンカー刺しゅう糸
25番＝ 261、216（以上グリーン系）、
970、1028
布地　リネン（白）適量
接着芯　適量

1028 フレンチナッツS
970 スプリットS
216 アウトラインS
261 アウトラインS

図案＝実物大

ガーデンバッグ page 21

仕上りサイズ　30×26cm（バッグ本体）
材料
アンカー刺しゅう糸
25番＝ 878、899
布地　ピュアリネンキャンバス 30×75cm
革テープ　1cm 幅55cm
マジックテープ　2×2cm
はと目　1個

point
布地がざっくりしているので、ピーシングペーパーを使って図案を写してください。

マジックテープつけ位置
4.5（見返し）
袋口
はと目位置（表側のみ）
13.5
30
わ
26

① 表布に刺しゅうをし、はと目をつける
② 直径1.8にカットしたマジックテープをまつりつける
見返し
表布（表）

表布を中表に折って、脇を縫い、縫い代を割って表に返す
表布（裏）

長さ55の革テープ
① 見返しを折り込んでミシン
4.5
革テープ
マジックテープ
表布（表）
脇
② 革テープの中央に目打ちで穴をあけ、返し縫いで縫いつける

garden twine

878 12本どり（6本どりを2本）を
899 3本どりでコーチングS

図案＝実物大

はと目

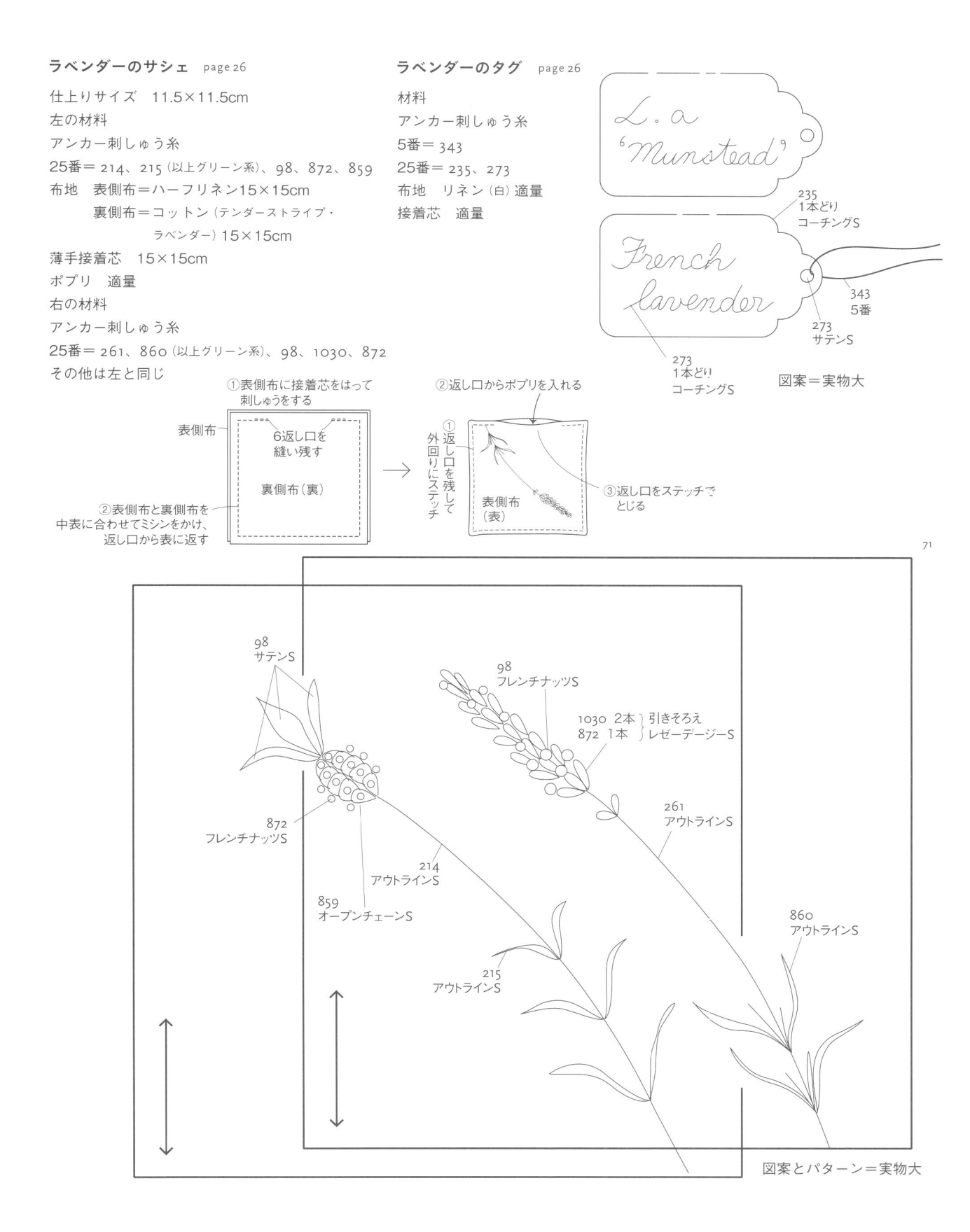

ラベンダーのサシェ page 26

仕上りサイズ　11.5×11.5cm
左の材料
アンカー刺しゅう糸
25番＝214、215（以上グリーン系）、98、872、859
布地　表側布＝ハーフリネン15×15cm
　　　裏側布＝コットン（テンダーストライプ・
　　　　　　　ラベンダー）15×15cm
薄手接着芯　15×15cm
ポプリ　適量
右の材料
アンカー刺しゅう糸
25番＝261、860（以上グリーン系）、98、1030、872
その他は左と同じ

ラベンダーのタグ page 26

材料
アンカー刺しゅう糸
5番＝343
25番＝235、273
布地　リネン（白）適量
接着芯　適量

L. a 'Munstead'

235
1本どり
コーチングS

French lavender

343
5番

273
サテンS

273
1本どり
コーチングS

図案＝実物大

①表側布に接着芯をはって刺しゅうをする
表側布
⑥返し口を縫い残す
裏側布（裏）
②表側布と裏側布を中表に合わせてミシンをかけ、返し口から表に返す

②返し口からポプリを入れる
①返し口を残して外回りにステッチ
表側布（表）
③返し口をステッチでとじる

98
サテンS

98
フレンチナッツS

1030　2本　引きそろえ
872　1本　レゼーデージーS

872
フレンチナッツS

214
アウトラインS

261
アウトラインS

859
オープンチェーンS

215
アウトラインS

860
アウトラインS

図案とパターン＝実物大

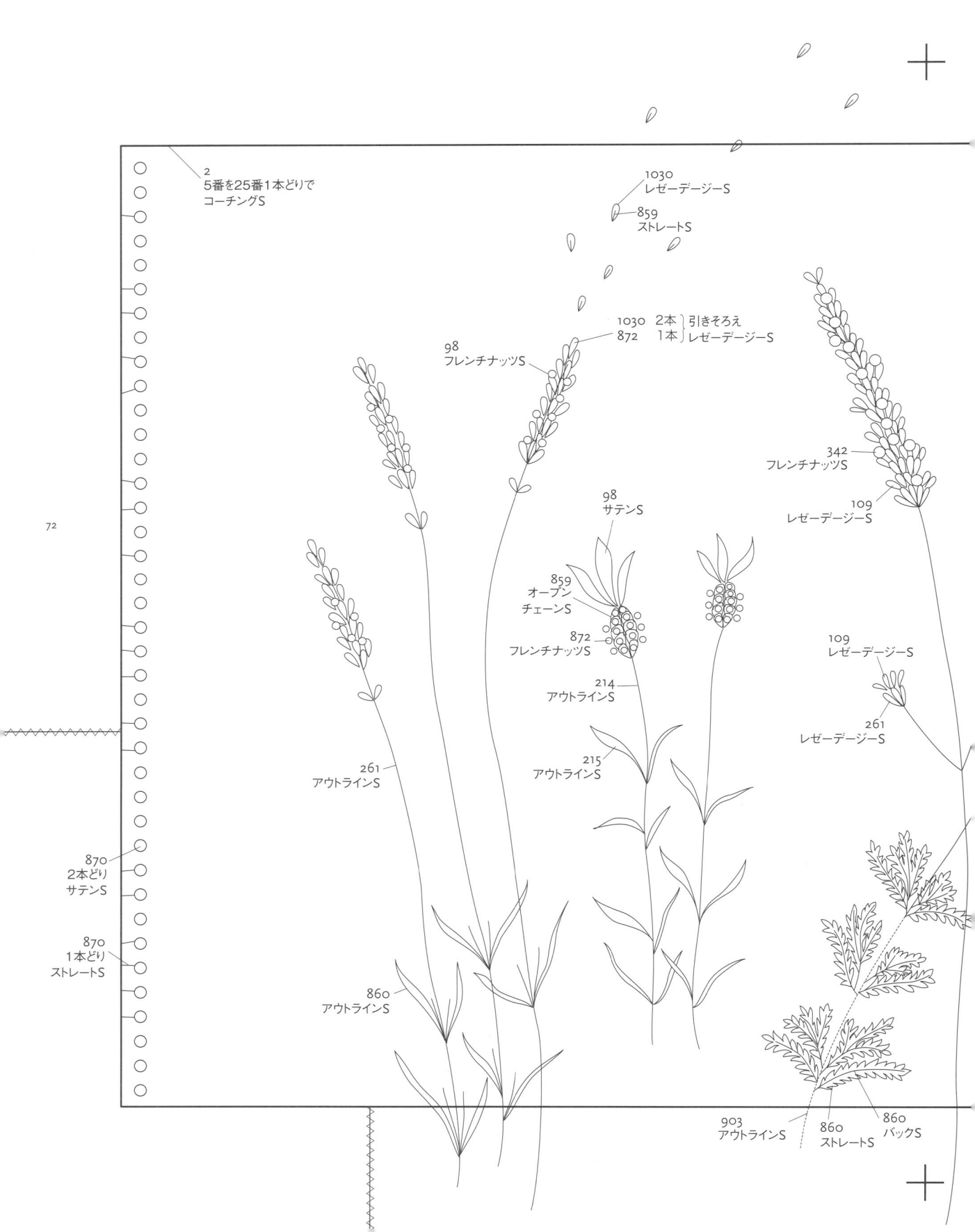

2
5番を25番1本どりで
コーチングS

1030
レゼーデージーS

859
ストレートS

1030 2本 ┐引きそろえ
872　1本 ┘レゼーデージーS

98
フレンチナッツS

342
フレンチナッツS

98
サテンS

859
オープン
チェーンS

872
フレンチナッツS

109
レゼーデージーS

109
レゼーデージーS

261
レゼーデージーS

214
アウトラインS

261
アウトラインS

215
アウトラインS

72

870
2本どり
サテンS

870
1本どり
ストレートS

860
アウトラインS

903
アウトラインS

860
ストレートS

860
バックS

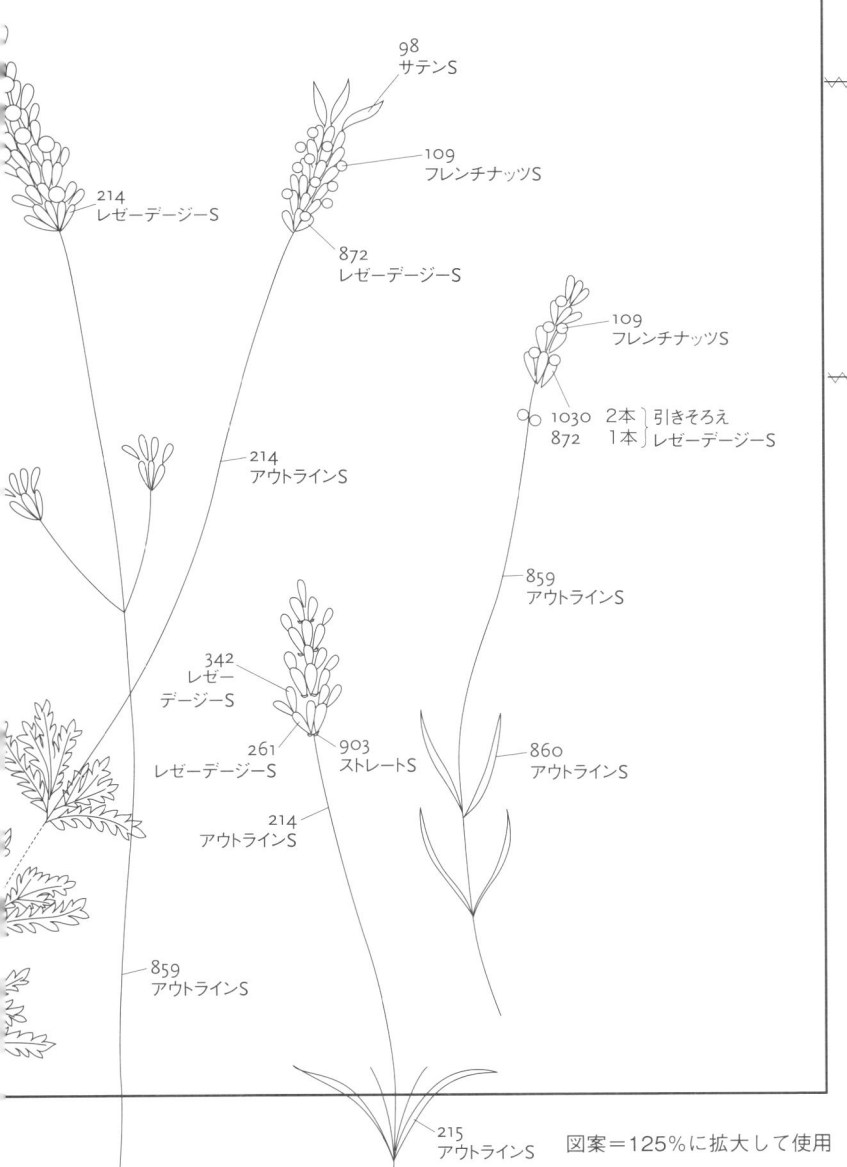

ラベンダー page 27

全体のサイズ　50×58cm
材料
アンカー刺しゅう糸
5番＝ 2
25番＝ 261、214、215、859、860（以上
　　　　グリーン系）、342、109、1030、98、
　　　　870、872、903、2
布地　リネン（白）50×58cm
　　　ピュアリネン（ラベンダー）40×50cm
　　　コットン（テンダーストライプ・ラベンダー）
　　　　20×25cm
接着芯　50×58cm
両面接着芯　50×58cm
タグ　3枚

point
リネン（白）の裏面に接着芯をはる。全体図を参照してカットしたラベンダーとストライプの布に両面接着芯をはり、リネン（白）の表面に重ねてはる。ジグザグミシンと、布端にミシンステッチをかけてから、刺しゅうをする。

ジグザグミシン

Iden Croft Herbs
23. Jun

903　2本どり　コーチングS
903　1本どり　コーチングS
98　サテンS
109　フレンチナッツS
214　レゼーデージーS
872　レゼーデージーS
109　フレンチナッツS
1030　2本) 引きそろえ
872　1本) レゼーデージーS
214　アウトラインS
859　アウトラインS
342　レゼーデージーS
261　レゼーデージーS
903　ストレートS
860　アウトラインS
214　アウトラインS
859　アウトラインS
215　アウトラインS

図案＝125％に拡大して使用

全体図

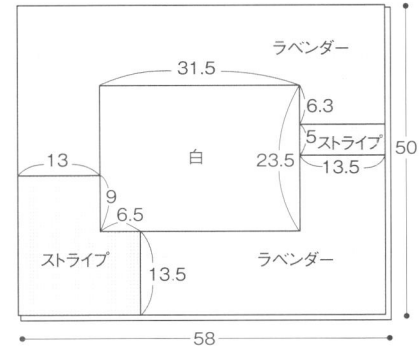

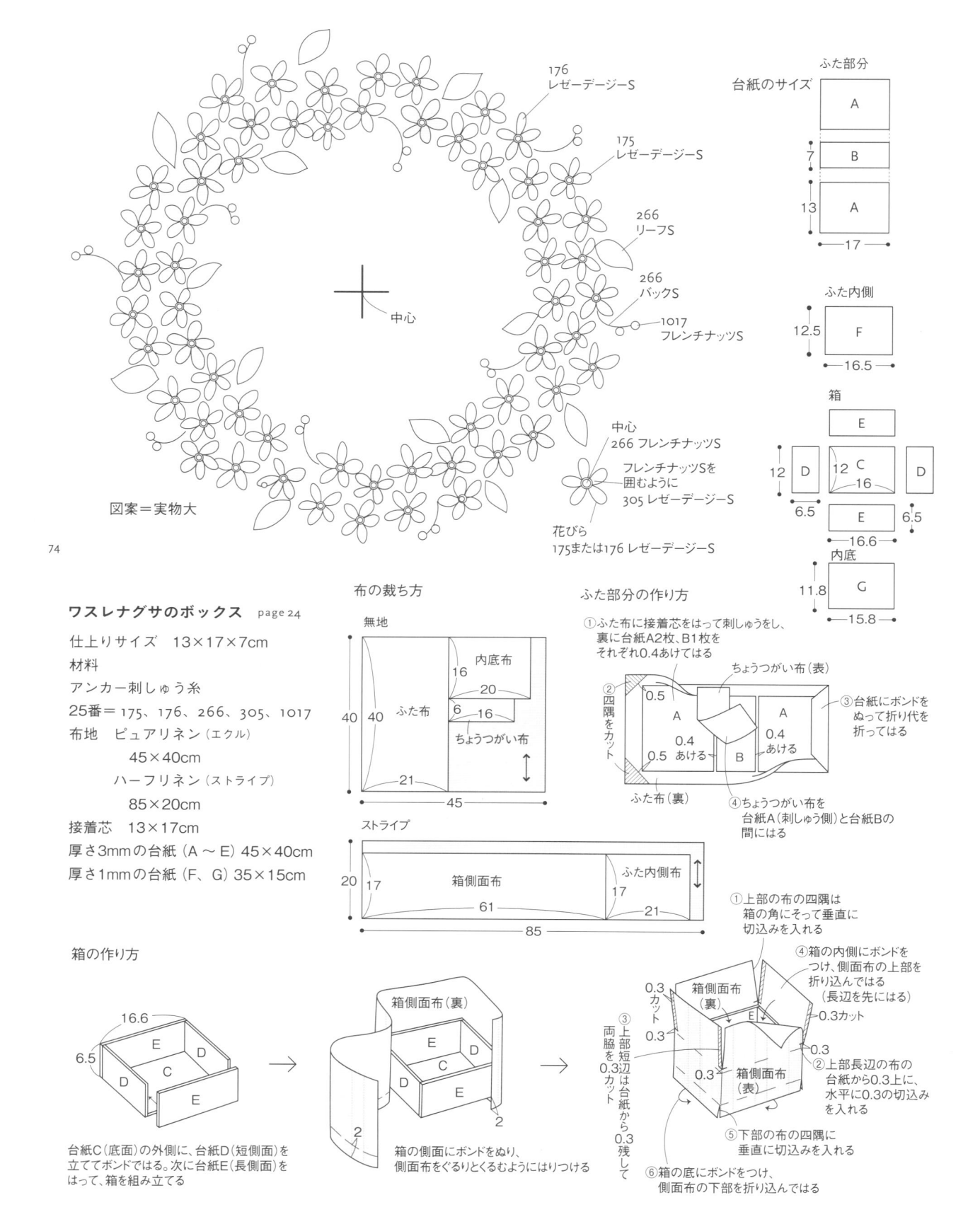

176 レゼーデージーS
175 レゼーデージーS
266 リーフS
266 バックS
1017 フレンチナッツS

中心

図案=実物大

中心
266 フレンチナッツS
フレンチナッツSを囲むように
305 レゼーデージーS
花びら
175または176 レゼーデージーS

ふた部分
台紙のサイズ

A
B	7
A	13

17

ふた内側

| F | 12.5
16.5

箱

E
D C D 12
6.5 16 6.5
E 16.6

内底

| G | 11.8
15.8

ワスレナグサのボックス　page 24

仕上りサイズ　13×17×7cm
材料
アンカー刺しゅう糸
25番＝175、176、266、305、1017
布地　ピュアリネン（エクル）
　　　　45×40cm
　　　ハーフリネン（ストライプ）
　　　　85×20cm
接着芯　13×17cm
厚さ3mmの台紙（A～E）45×40cm
厚さ1mmの台紙（F、G）35×15cm

布の裁ち方

無地
内底布 16×20
ふた布 40×40
ちょうつがい布 6×16
21
45

ストライプ
箱側面布 17×61
ふた内側布 17×21
20
85

ふた部分の作り方

①ふた布に接着芯をはって刺しゅうをし、裏に台紙A2枚、B1枚をそれぞれ0.4あけてはる

0.5 A 0.4あけ A 0.4あけ
     B
0.5
②四隅をカット
ちょうつがい布（表）
③台紙にボンドをぬって折り代を折ってはる
ふた布（裏）
④ちょうつがい布を台紙A（刺しゅう側）と台紙Bの間にはる

箱の作り方

16.6
E D
6.5 C
D E

台紙C（底面）の外側に、台紙D（短側面）を立ててボンドではる。次に台紙E（長側面）をはって、箱を組み立てる

箱側面布（裏）
E D C D E
2　　　　　2

箱の側面にボンドをぬり、側面布をぐるりとくるむようにはりつける

①上部の布の四隅は箱の角にそって垂直に切込みを入れる
0.3カット
箱側面布（裏）
E 0.3カット
0.3
③上部短両脇は台紙から0.3残して
0.3
箱側面布（表）

④箱の内側にボンドをつけ、側面布の上部を折り込んではる（長辺を先にはる）
②上部長辺の布の台紙から0.3上に、水平に0.3の切込みを入れる
⑤下部の布の四隅に垂直に切込みを入れる
⑥箱の底にボンドをつけ、側面布の下部を折り込んではる

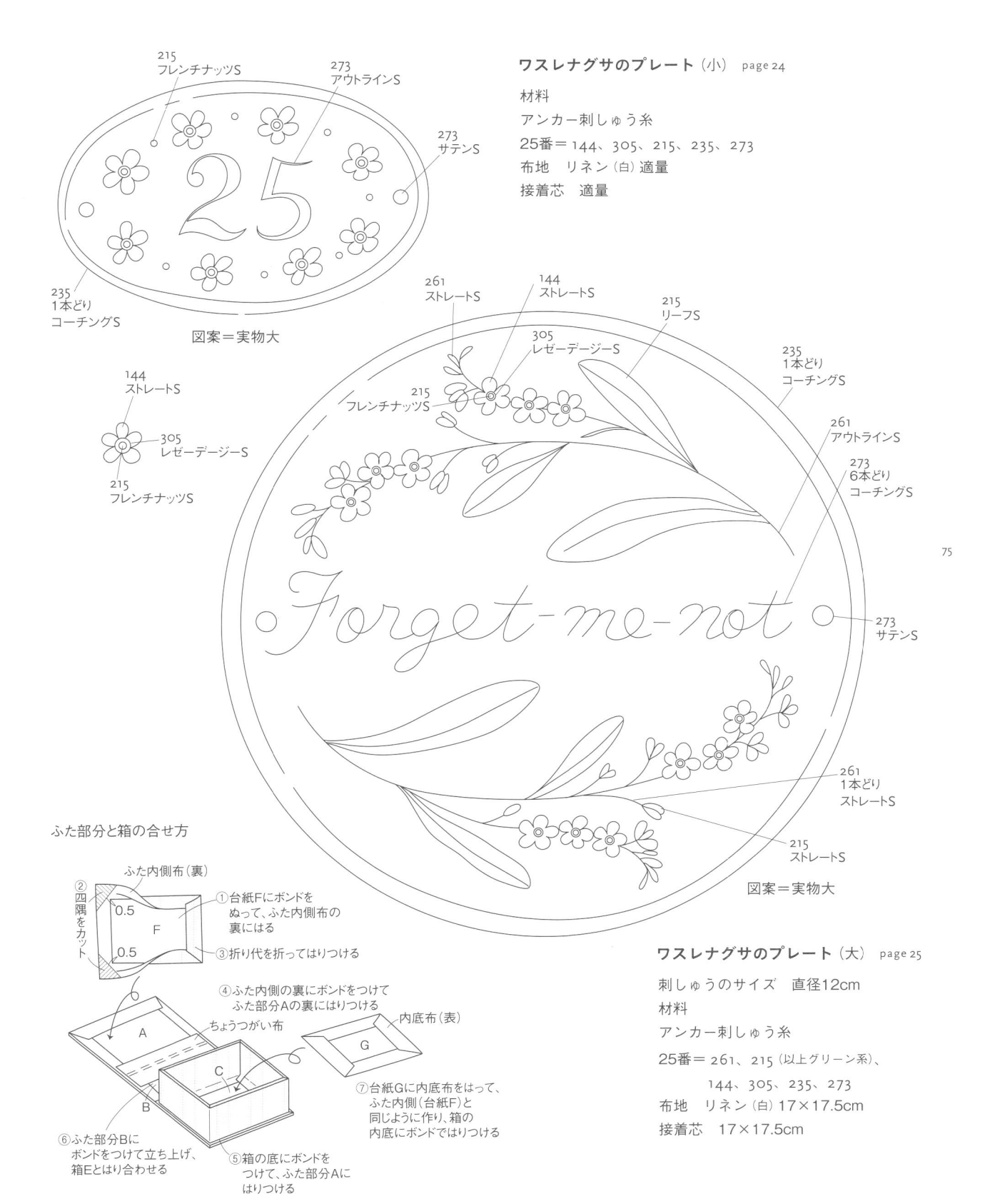

ワスレナグサのプレート（小） page 24

材料
アンカー刺しゅう糸
25番＝144、305、215、235、273
布地　リネン（白）適量
接着芯　適量

215 フレンチナッツS
273 アウトラインS
273 サテンS
235 1本どり コーチングS
図案＝実物大

144 ストレートS
305 レゼーデージーS
215 フレンチナッツS

261 ストレートS
144 ストレートS
215 リーフS
305 レゼーデージーS
215 フレンチナッツS
235 1本どり コーチングS
261 アウトラインS
273 6本どり コーチングS
273 サテンS
261 1本どり ストレートS
215 ストレートS

図案＝実物大

ワスレナグサのプレート（大） page 25

刺しゅうのサイズ　直径12cm
材料
アンカー刺しゅう糸
25番＝261、215（以上グリーン系）、
　　　144、305、235、273
布地　リネン（白）17×17.5cm
接着芯　17×17.5cm

ふた部分と箱の合せ方

① 台紙Fにボンドをぬって、ふた内側布の裏にはる
② 四隅をカット
③ 折り代を折ってはりつける
ふた内側布（裏）
F　0.5　0.5

④ ふた内側の裏にボンドをつけてふた部分Aの裏にはりつける
ちょうつがい布
内底布（表）
G
A
C
B

⑥ ふた部分Bにボンドをつけて立ち上げ、箱Eとはり合わせる
⑤ 箱の底にボンドをつけて、ふた部分Aにはりつける
⑦ 台紙Gに内底布をはって、ふた内側（台紙F）と同じように作り、箱の内底にボンドではりつける

野原に出会う旅 page 28

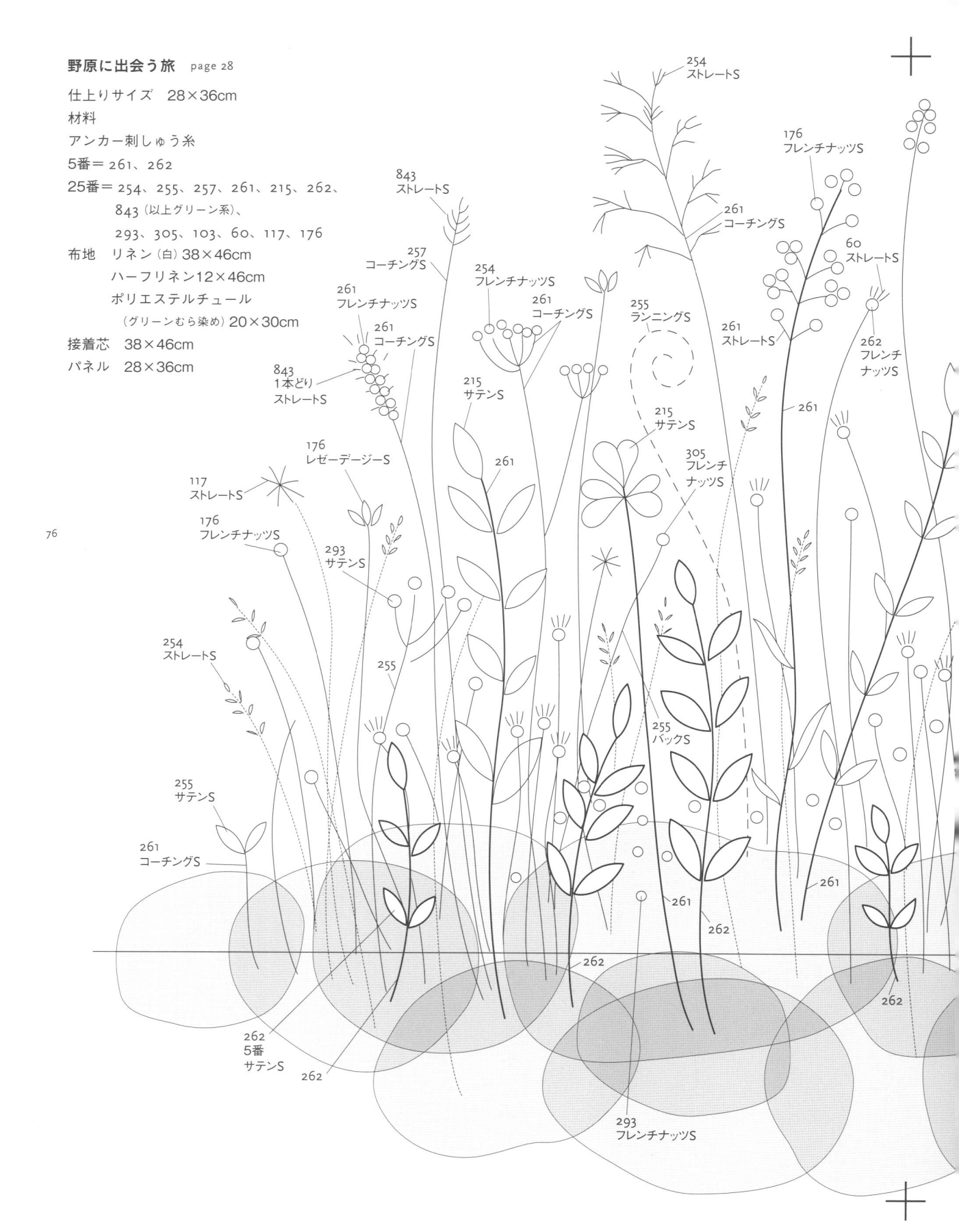

仕上りサイズ　28×36cm
材料
アンカー刺しゅう糸
5番＝261、262
25番＝254、255、257、261、215、262、
　　　843（以上グリーン系）、
　　　293、305、103、60、117、176
布地　リネン（白）38×46cm
　　　ハーフリネン12×46cm
　　　ポリエステルチュール
　　　　（グリーンむら染め）20×30cm
接着芯　38×46cm
パネル　28×36cm

254 ストレートS
843 ストレートS
176 フレンチナッツS
261 コーチングS
257 コーチングS
254 フレンチナッツS
261 コーチングS
60 ストレートS
261 フレンチナッツS
255 ランニングS
261 ストレートS
261 コーチングS
843 1本どり ストレートS
262 フレンチナッツS
257 サテンS
261
215 サテンS
176 レゼーデージーS
215 サテンS
305 フレンチナッツS
117 ストレートS
176 フレンチナッツS
261
293 サテンS
254 ストレートS
255
255 バックS
255 サテンS
261 コーチングS
261
261
262
262
262 5番 サテンS
262
293 フレンチナッツS

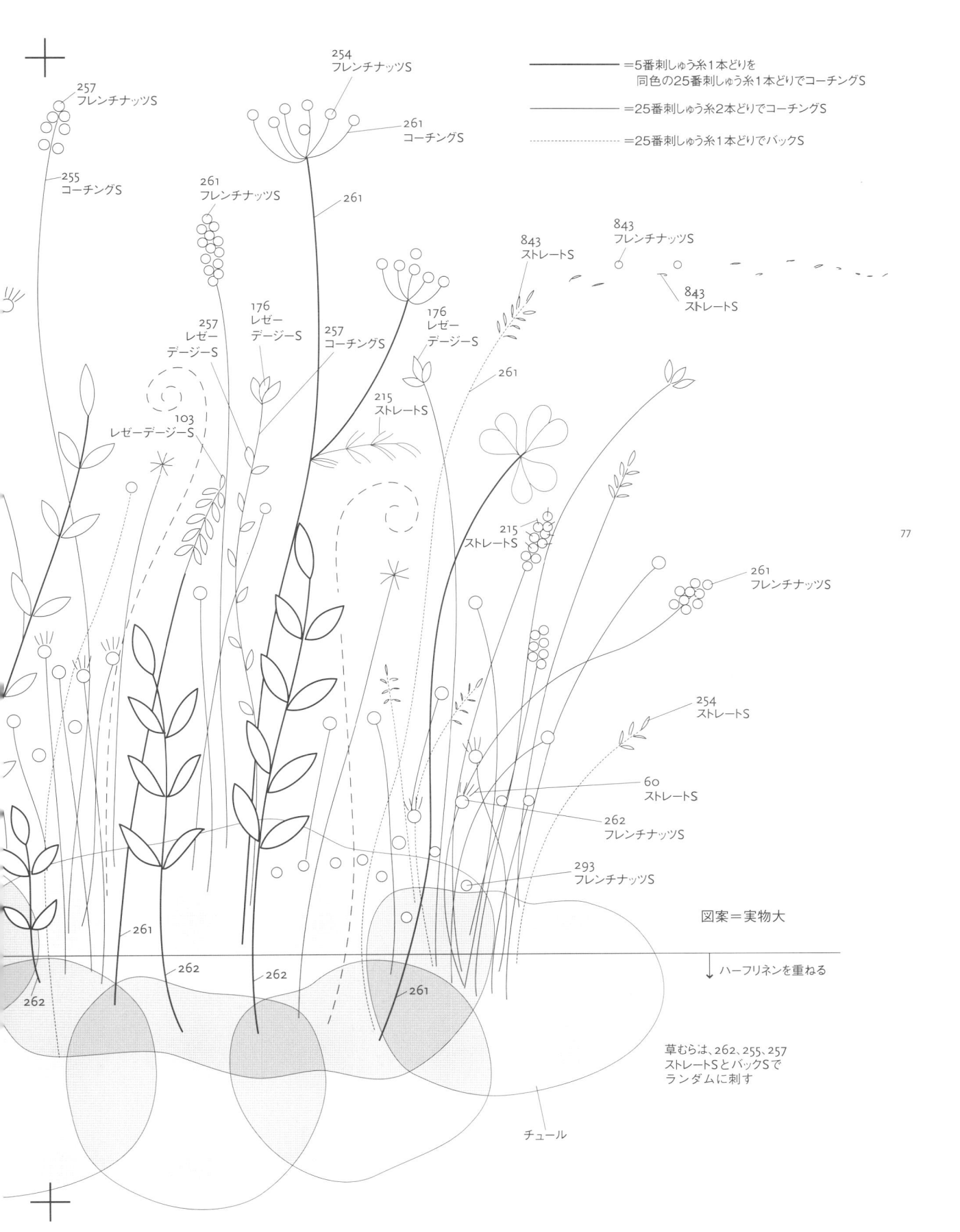

━━━━━	＝5番刺しゅう糸1本どりを同色の25番刺しゅう糸1本どりでコーチングS
────	＝25番刺しゅう糸2本どりでコーチングS
‑ ‑ ‑ ‑ ‑	＝25番刺しゅう糸1本どりでバックS

257 フレンチナッツS
254 フレンチナッツS
261 コーチングS
255 コーチングS
261 フレンチナッツS
261
843 フレンチナッツS
843 ストレートS
257 レゼーデージーS
176 レゼーデージーS
257 コーチングS
176 レゼーデージーS
103 レゼーデージーS
261
215 ストレートS
215 ストレートS
261 フレンチナッツS
254 ストレートS
60 ストレートS
262 フレンチナッツS
293 フレンチナッツS

図案＝実物大

261
262
262
262
261

↓ ハーフリネンを重ねる

草むらは、262、255、257
ストレートSとバックSで
ランダムに刺す

チュール

グラスのスケッチ　page 31

仕上りサイズ　27×33.5cm
材料
アンカー刺しゅう糸
25番＝236
布地　ノート用＝ピュアリネン
　　　　　（オフホワイト）75×60cm
　　　表紙用＝ピュアリネン
　　　　　（黒）75×30cm
接着芯　110cm 幅60cm
サテンリボン　0.3cm 幅35cm

point
大きめに裁断したノート用表布の裏面に接着芯をはり、刺しゅうをしてから指定のサイズに切りそろえてノートに仕立てる。（page 90、91に続く）

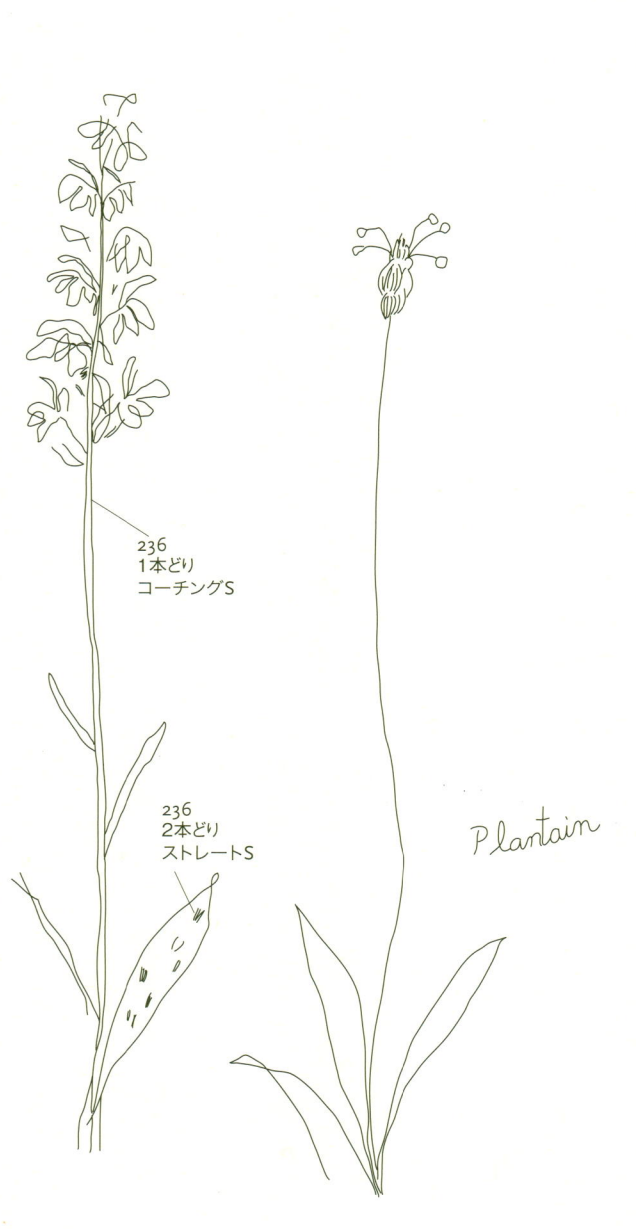

中心

236
1本どり
コーチングS

236
2本どり
ストレートS

Plantain

中心

236
2本どり
ストレートS

236
1本どり
コーチングS

図案＝120％に拡大して使用

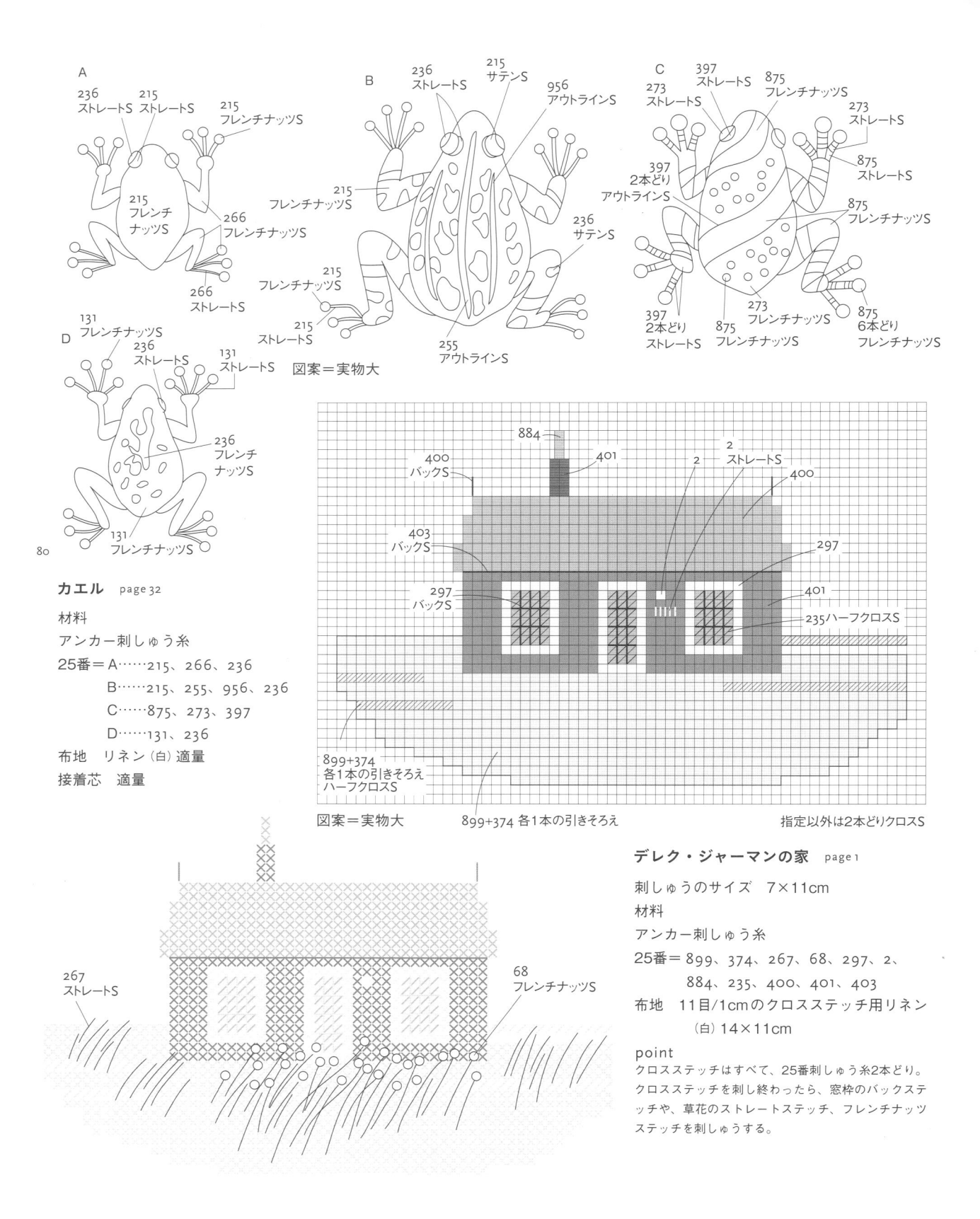

A
236 ストレートS
215 ストレートS
215 フレンチナッツS
215 フレンチナッツS
266 フレンチナッツS
266 ストレートS

B
236 ストレートS
215 サテンS
956 アウトラインS
215 フレンチナッツS
215 フレンチナッツS
236 サテンS
255 アウトラインS

図案＝実物大

C
397 ストレートS
875 フレンチナッツS
273 ストレートS
875 ストレートS
397 2本どり アウトラインS
875 フレンチナッツS
397 2本どり ストレートS
273 フレンチナッツS
875 フレンチナッツS
875 6本どり フレンチナッツS

D
131 フレンチナッツS
236 ストレートS
131 ストレートS
236 フレンチナッツS
131 フレンチナッツS

カエル page 32

材料
アンカー刺しゅう糸
25番＝A……215、266、236
　　　　B……215、255、956、236
　　　　C……875、273、397
　　　　D……131、236
布地　リネン（白）適量
接着芯　適量

884
400 バックS
401
2 ストレートS
403 バックS
400
297
297 バックS
401
235 ハーフクロスS

899+374 各1本の引きそろえ ハーフクロスS

図案＝実物大

899+374 各1本の引きそろえ

指定以外は2本どりクロスS

267 ストレートS
68 フレンチナッツS

デレク・ジャーマンの家 page 1

刺しゅうのサイズ　7×11cm
材料
アンカー刺しゅう糸
25番＝899、374、267、68、297、2、
　　　884、235、400、401、403
布地　11目/1cmのクロスステッチ用リネン
　　　（白）14×11cm

point
クロスステッチはすべて、25番刺しゅう糸2本どり。クロスステッチを刺し終わったら、窓枠のバックステッチや、草花のストレートステッチ、フレンチナッツステッチを刺しゅうする。

ヴァレリアン　page 33

全体のサイズ　37×30cm

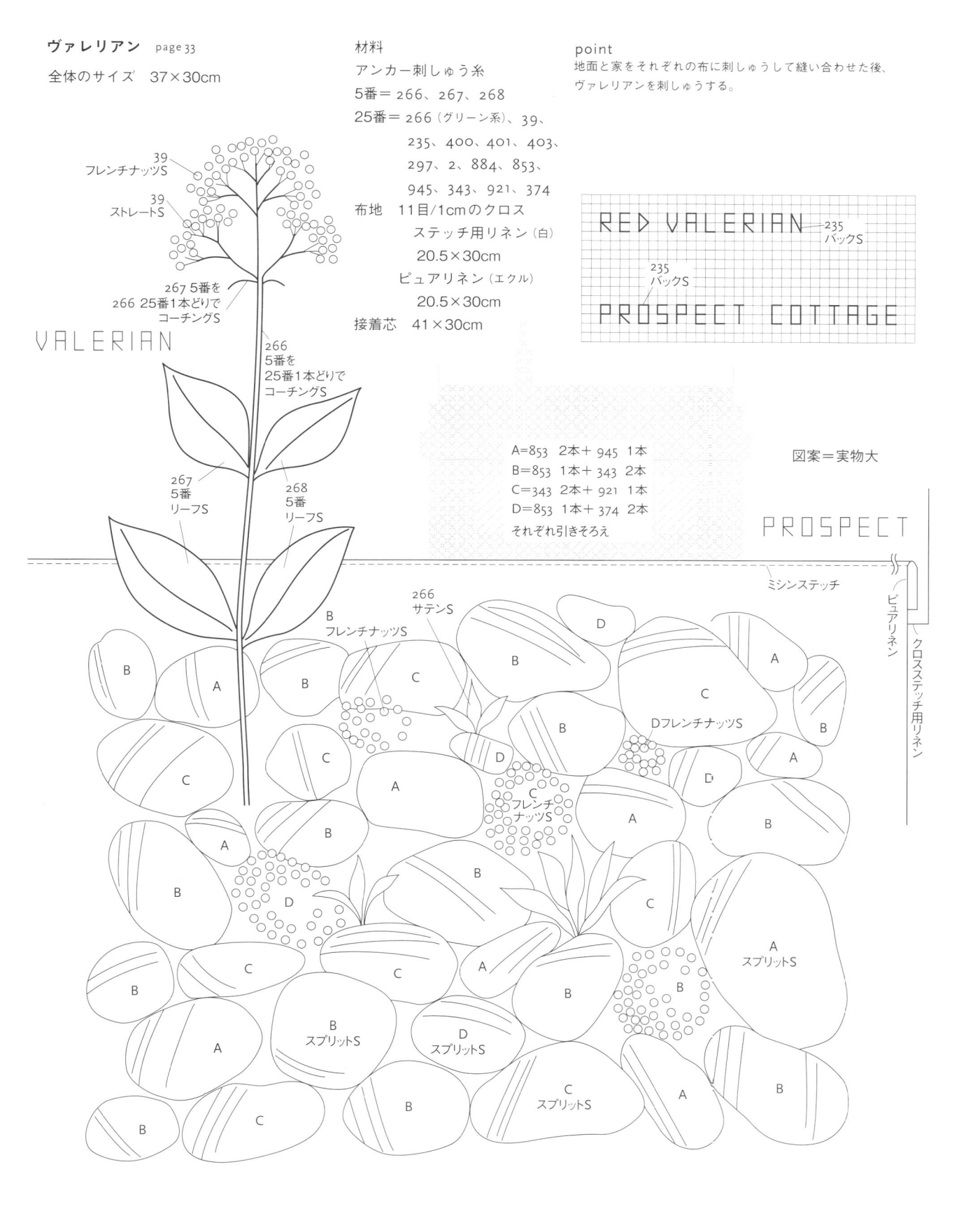

材料

アンカー刺しゅう糸
5番＝266、267、268
25番＝266（グリーン系）、39、
　　　235、400、401、403、
　　　297、2、884、853、
　　　945、343、921、374
布地　11目/1cmのクロス
　　　ステッチ用リネン（白）
　　　20.5×30cm
　　　ピュアリネン（エクル）
　　　20.5×30cm
接着芯　41×30cm

point
地面と家をそれぞれの布に刺しゅうして縫い合わせた後、
ヴァレリアンを刺しゅうする。

RED VALERIAN — 235 バックS

235 バックS

PROSPECT COTTAGE

VALERIAN

39 フレンチナッツS
39 ストレートS
267 5番を
266 25番1本どりで
コーチングS
266 5番を 25番1本どりで コーチングS
267 5番 リーフS
268 5番 リーフS

A=853　2本＋945　1本
B=853　1本＋343　2本
C=343　2本＋921　1本
D=853　1本＋374　2本
それぞれ引きそろえ

図案＝実物大

266 サテンS
B フレンチナッツS
D フレンチナッツS
C フレンチナッツS

PROSPECT

ミシンステッチ
ピュアリネン
クロスステッチ用リネン

A スプリットS
B スプリットS
C スプリットS
D スプリットS

作り方手順

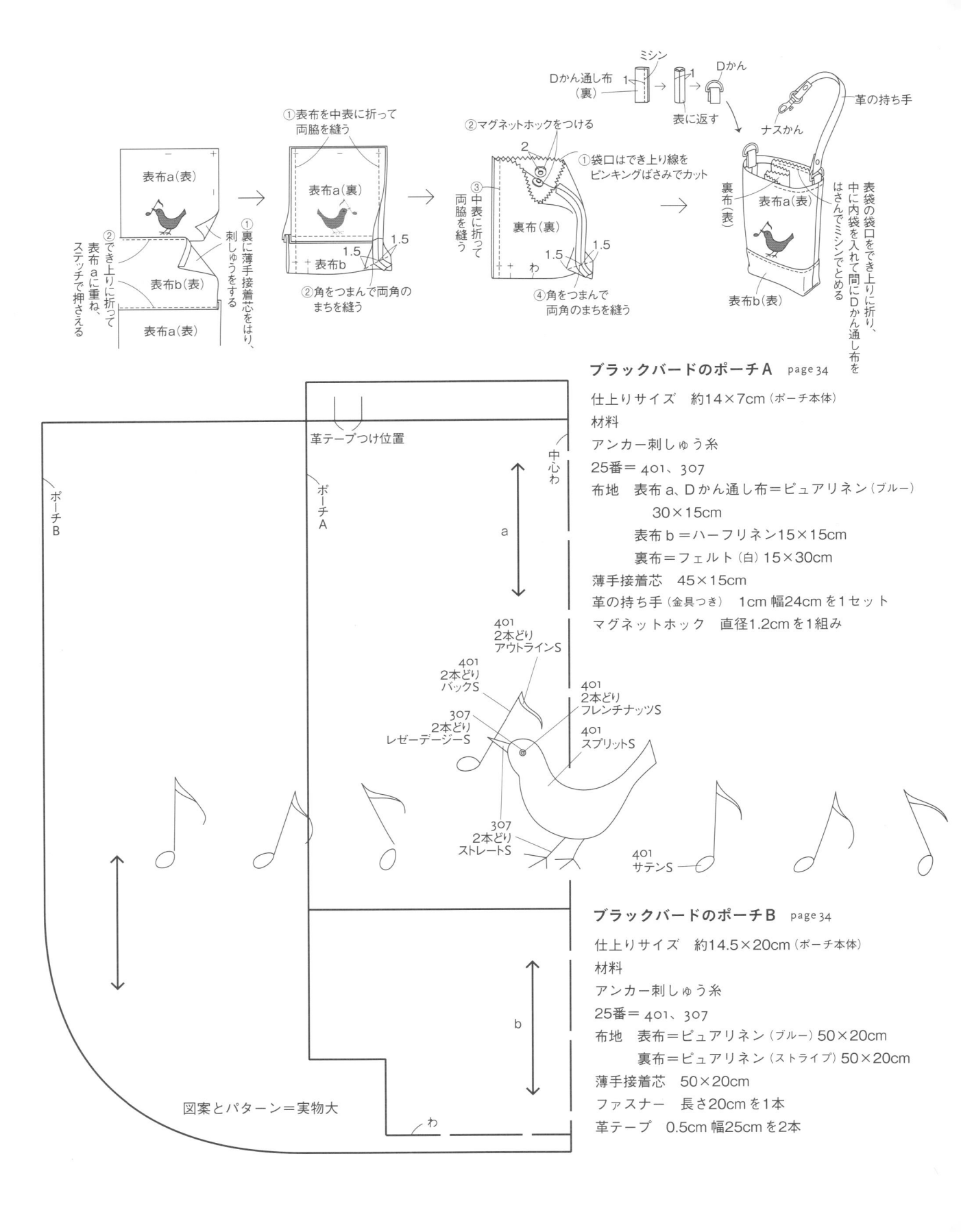

① 表布を中表に折って両脇を縫う
② 角をつまんで両角のまちを縫う

② マグネットホックをつける
① 袋口はでき上り線をピンキングばさみでカット
③ 中表に折って両脇を縫う
④ 角をつまんで両角のまちを縫う

Dかん通し布(裏) → ミシン → 表に返す → Dかん

① 裏に薄手接着芯をはり、刺しゅうをする
② でき上りに折って表布aに重ねステッチで押さえる

表袋の袋口をでき上りに折り、中に内袋を入れてはさんでミシンでとめる、Dかん通し布をはさんで

革の持ち手
ナスかん
裏布(表)
表布a(表)
表布b(表)

ブラックバードのポーチ A page 34

仕上りサイズ　約14×7cm(ポーチ本体)
材料
アンカー刺しゅう糸
25番＝401、307
布地　表布a、Dかん通し布＝ピュアリネン(ブルー)
　　　　　　30×15cm
　　　表布b＝ハーフリネン15×15cm
　　　裏布＝フェルト(白)15×30cm
薄手接着芯　45×15cm
革の持ち手(金具つき)　1cm幅24cmを1セット
マグネットホック　直径1.2cmを1組み

ブラックバードのポーチ B page 34

仕上りサイズ　約14.5×20cm(ポーチ本体)
材料
アンカー刺しゅう糸
25番＝401、307
布地　表布＝ピュアリネン(ブルー)50×20cm
　　　裏布＝ピュアリネン(ストライプ)50×20cm
薄手接着芯　50×20cm
ファスナー　長さ20cmを1本
革テープ　0.5cm幅25cmを2本

図案とパターン＝実物大

革テープつけ位置
中心わ
ポーチA
ポーチB
わ

刺しゅう記号:
401　2本どり　アウトラインS
401　2本どり　バックS
401　2本どり　フレンチナッツS
307　2本どり　レゼーデージーS
401　2本どり　スプリットS
307　2本どり　ストレートS
401　サテンS

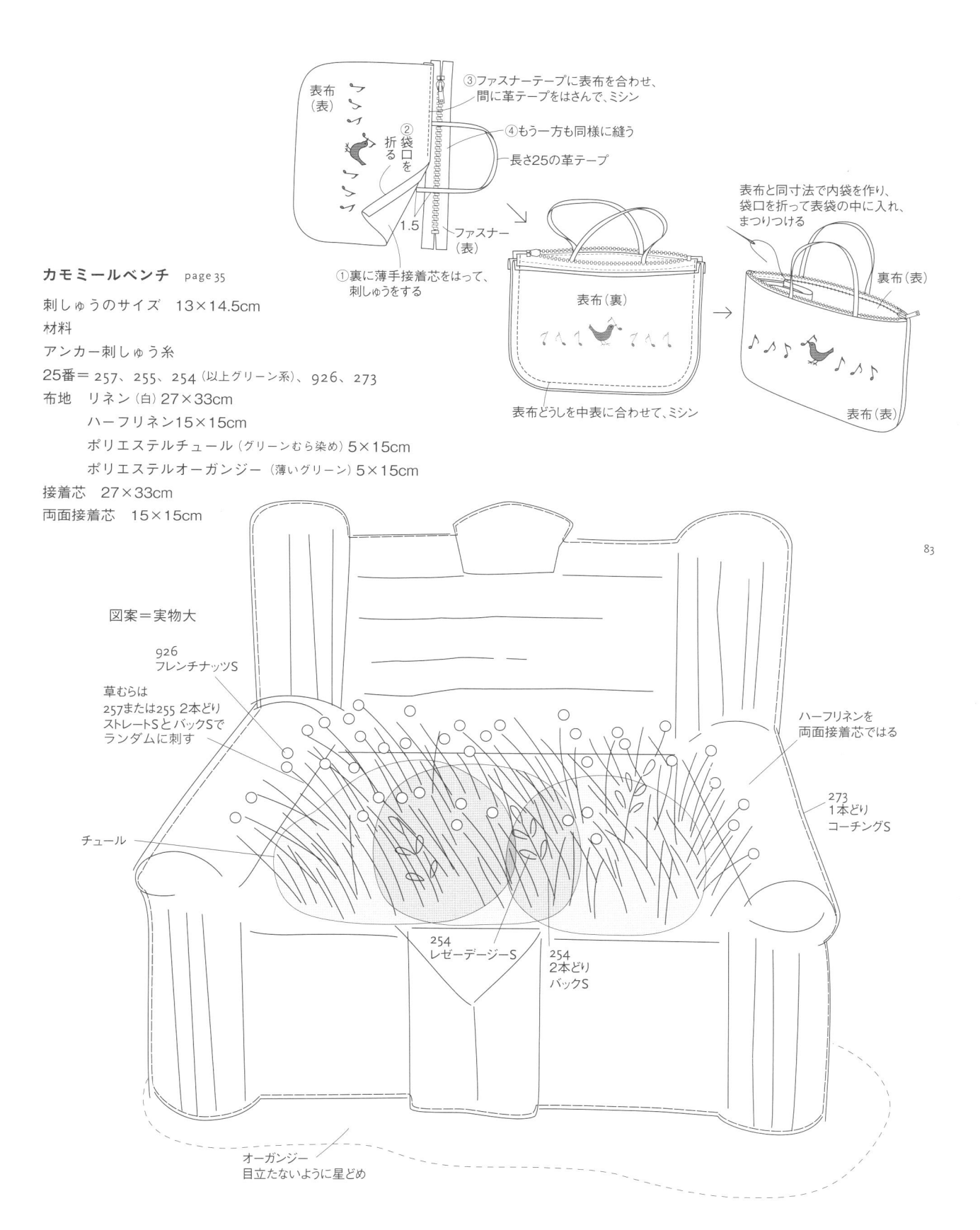

③ファスナーテープに表布を合わせ、
間に革テープをはさんで、ミシン

表布（表）

②袋口を折る

④もう一方も同様に縫う

長さ25の革テープ

ファスナー（表）

①裏に薄手接着芯をはって、刺しゅうをする

表布と同寸法で内袋を作り、袋口を折って表袋の中に入れ、まつりつける

裏布（表）

表布（裏）

表布どうしを中表に合わせて、ミシン

表布（表）

カモミールベンチ　page 35

刺しゅうのサイズ　13×14.5cm
材料
アンカー刺しゅう糸
25番＝257、255、254（以上グリーン系）、926、273
布地　リネン（白）27×33cm
　　　ハーフリネン15×15cm
　　　ポリエステルチュール（グリーンむら染め）5×15cm
　　　ポリエステルオーガンジー（薄いグリーン）5×15cm
接着芯　27×33cm
両面接着芯　15×15cm

図案＝実物大

926
フレンチナッツS

草むらは
257または255 2本どり
ストレートSとバックSで
ランダムに刺す

ハーフリネンを
両面接着芯ではる

273
1本どり
コーチングS

チュール

254
レゼーデージーS

254
2本どり
バックS

オーガンジー
目立たないように星どめ

83

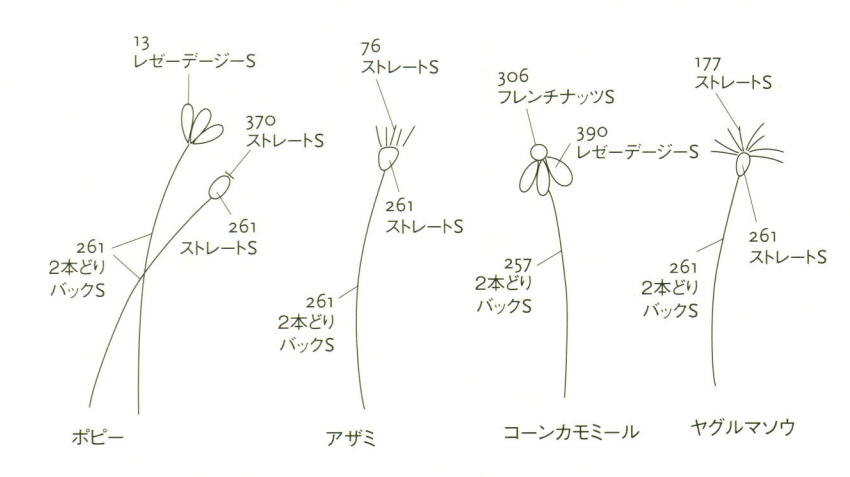

メドウのパーツ8種　page 36

材料
アンカー刺しゅう糸
25番＝261、257、266、254、
　　　　844（以上グリーン系）、
　　　　13、370、306、390、
　　　　177、305、76
布地　リネン（白）適量
接着芯　適量

図案＝実物大

ポピー
- 13 レゼーデージーS
- 370 ストレートS
- 261 ストレートS
- 261 2本どり バックS

アザミ
- 76 ストレートS
- 261 ストレートS
- 261 2本どり バックS

コーンカモミール
- 306 フレンチナッツS
- 390 レゼーデージーS
- 257 2本どり バックS

ヤグルマソウ
- 177 ストレートS
- 261 ストレートS
- 261 2本どり バックS

カウパセリ
- 390 フレンチナッツS
- 844 フレンチナッツS
- 266 2本どり バックS

バターカップ
- 305 フレンチナッツS
- 266 2本どり バックS

グラス2種
- 254 レゼーデージーS
- 254 2本どり バックS
- 844 ストレートS
- 257 1本どり バックS

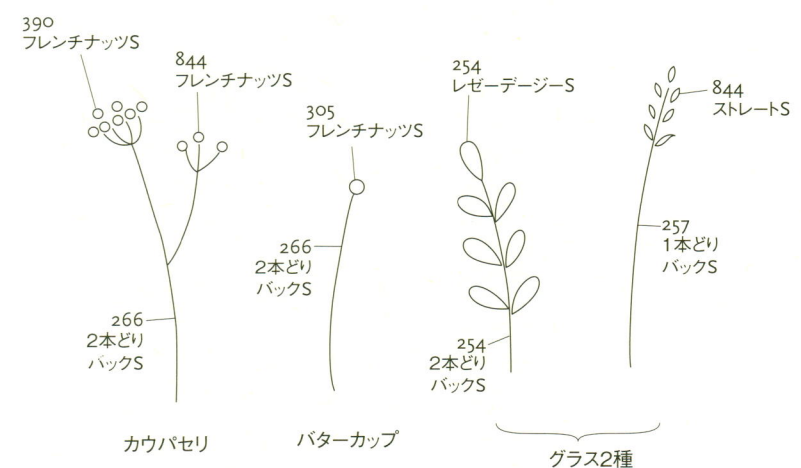

ヒツジ　page 38

材料
アンカー刺しゅう糸
25番＝257、267（以上グリーン系）、
　　　　390、273
布地　リネン（白）適量
　　　　ポリエステルチュール（グリーンむら染め）少々
接着芯　適量

図案＝実物大

- 273 レゼーデージーS
- 273 サテンS
- 390 2本どり フレンチナッツS
- 390 フレンチナッツS
- 257 1本どり ストレートS
- 267 1本どり ストレートS
- 273 ストレートS
- チュール

- 273 レゼーデージーS
- 273 サテンS
- 390 フレンチナッツS
- 257 1本どり ストレートS
- 273 ストレートS
- 267 1本どり ストレートS
- チュール

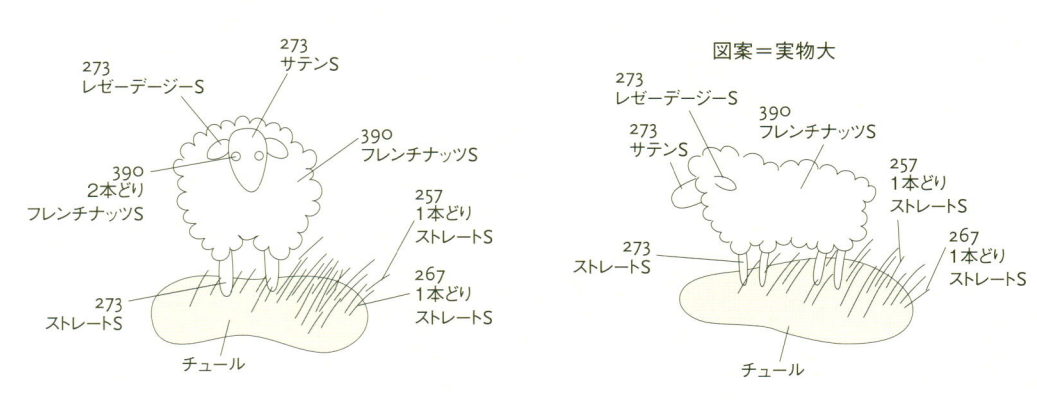

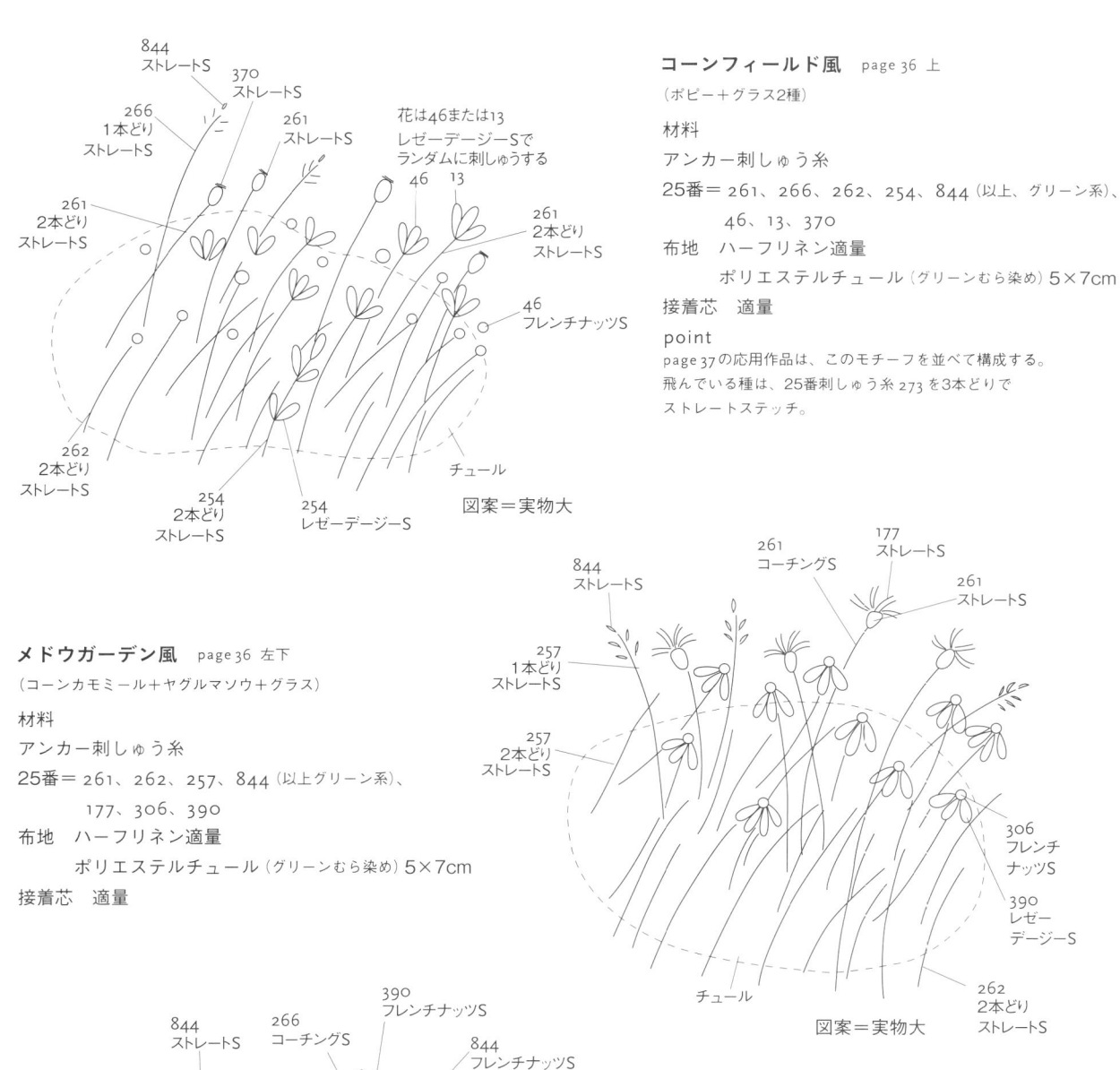

コーンフィールド風　page 36 上

(ポピー＋グラス2種)

材料
アンカー刺しゅう糸
25番＝261、266、262、254、844(以上、グリーン系)、
　　　46、13、370
布地　ハーフリネン適量
　　　ポリエステルチュール(グリーンむら染め)5×7cm
接着芯　適量
point
page 37の応用作品は、このモチーフを並べて構成する。
飛んでいる種は、25番刺しゅう糸273を3本どりで
ストレートステッチ。

図中ラベル：
- 844 ストレートS
- 370 ストレートS
- 266 1本どり ストレートS
- 261 ストレートS
- 花は46または13 レゼーデージーSでランダムに刺しゅうする
- 46　13
- 261 2本どり ストレートS
- 261 2本どり ストレートS
- 46 フレンチナッツS
- 262 2本どり ストレートS
- 254 2本どり ストレートS
- 254 レゼーデージーS
- チュール
- 図案＝実物大

メドウガーデン風　page 36 左下

(コーンカモミール＋ヤグルマソウ＋グラス)

材料
アンカー刺しゅう糸
25番＝261、262、257、844(以上グリーン系)、
　　　177、306、390
布地　ハーフリネン適量
　　　ポリエステルチュール(グリーンむら染め)5×7cm
接着芯　適量

図中ラベル：
- 844 ストレートS
- 261 コーチングS
- 177 ストレートS
- 261 ストレートS
- 257 1本どり ストレートS
- 257 2本どり ストレートS
- 306 フレンチナッツS
- 390 レゼーデージーS
- チュール
- 262 2本どり ストレートS
- 図案＝実物大

自然風　page 36 右下

(アザミ＋カウパセリ＋バターカップ＋グラス)

材料
アンカー刺しゅう糸
25番＝266、261、262、257、844(以上グリーン系)、
　　　390、76、305
布地　ハーフリネン適量
　　　ポリエステルチュール(グリーンむら染め)5×7cm
接着芯　適量

図中ラベル：
- 844 ストレートS
- 266 コーチングS
- 390 フレンチナッツS
- 844 フレンチナッツS
- 257 1本どり ストレートS
- 76 ストレートS
- 305 フレンチナッツS
- 262 2本どり ストレートS
- 261 2本どり ストレートS
- 図案＝実物大
- チュール
- 262 2本どり ストレートS

ポピー　page 39

仕上りサイズ　32×31cm

材料

アンカー刺しゅう糸

25番＝215、216（以上グリーン系）、
　　　　1025、370、401

布地　ピュアリネン（チェック）40×40cm

ポピー（咲終り）　page 38

材料

アンカー刺しゅう糸

25番＝214、1042（以上グリーン系）、
　　　　945、393

布地　リネン（白）適量

接着芯　適量

ムギ　page 38

材料

アンカー刺しゅう糸

25番＝890

布地　リネン（白）適量

接着芯　適量

370
1本どり
ストレートS

215
サテンS

401
2本どり
フレンチナッツS

1025
スプリットS

215
アウトラインS

945　2本　引きそろえ
393　1本　レゼーデージーS

214
サテンS

1042
ストレートS

214
アウトラインS

図案＝実物大

890
1本どり
ストレートS

890
4本どり
サテンS

890
アウトラインS

図案＝実物大

215
スプリットS

1025
ストレートS

216
アウトラインS

216
ストレートS

図案＝実物大

6.5　7.5

32

7.5
6.5

刺しゅう位置

1.5

31

布のチェックを利用して、
1025 2本どりでクロスステッチ

表布（表）

1.5

三つ折りにしてまつる

角の縫い方はpage 63を参照

ハウスリーク4種　page 40

材料
アンカー刺しゅう糸
25番＝261、215、267（以上グリーン系）、
　　　　900、1040、235、374
布地　リネン（白）適量
接着芯　適量

図案＝実物大

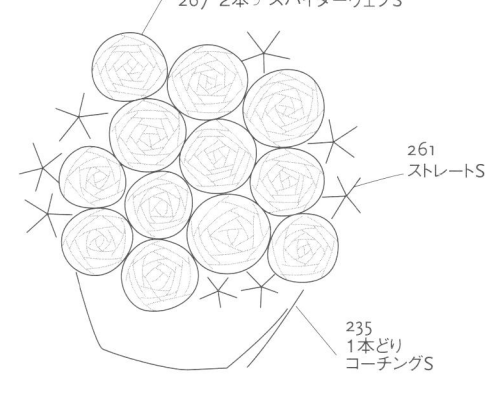

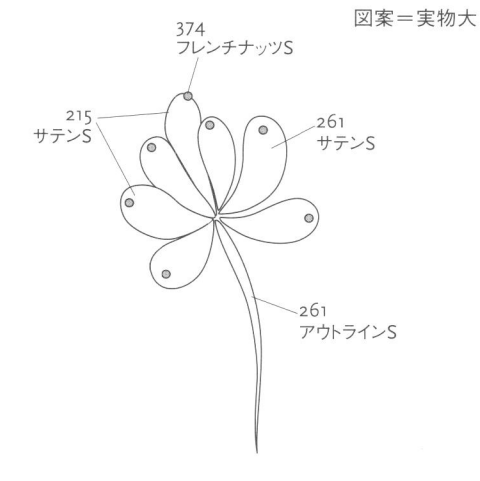

261　2本 ┐引きそろえ
267　2本 ┘スパイダーウェブS

261
ストレートS

235
1本どり
コーチングS

374
フレンチナッツS

215
サテンS

261
サテンS

261
アウトラインS

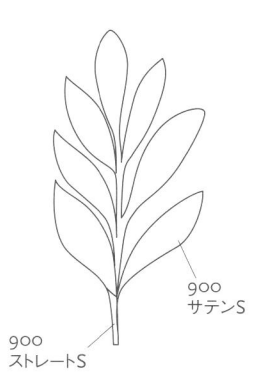

900
サテンS

900
ストレートS

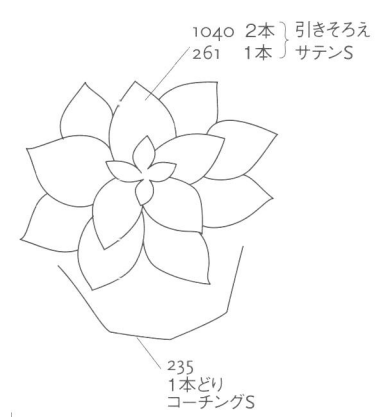

1040　2本 ┐引きそろえ
261　1本 ┘サテンS

235
1本どり
コーチングS

ショッピングバッグ　page 41

仕上りサイズ　38×38cm（バッグ本体）
材料
アンカー刺しゅう糸
25番＝1025
布地　表布、見返し＝ピュアリネンキャンバス90×50cm
　　　裏布、内ポケット＝コットン（テンダープリント・赤地白水玉）
　　　　110cm 幅40cm
厚手接着芯　40×10cm
革テープ　2cm 幅34cmを2本

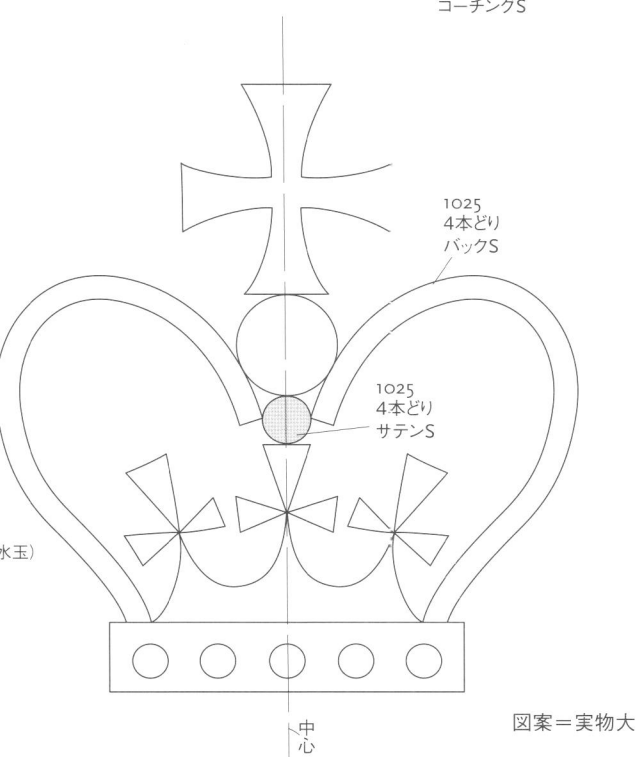

1025
4本どり
バックS

1025
4本どり
サテンS

中心

図案＝実物大

表袋＝表布(2枚)

革テープつけ位置

内袋＝見返し、裏布(各2枚)
内ポケット(1枚)

表布と同寸法

- 38 × 38
- 1.5 縫い代
- 11, 5, 2.4 刺しゅう位置
- 5見返し、1.5
- 17 内ポケット、21、わ
- 裏布

① 刺しゅうをする
② 長さ34の革テープをつけ位置の縫い代に仮どめ

表布(裏) — 2, 2, 1.5, 1.5

③ 表布2枚を中表に合わせてミシン
④ 角をつまんで、両角のまちを縫う

① 中表に折って、回りを縫い、返し口から表に返す
内ポケット(裏) わ 10返し口を縫い残す

③ 見返しの裏にでき上り寸法にカットした厚手接着芯をはる
見返し(裏)

② 内ポケットをステッチで縫いとめる
内ポケット(表)
裏布(表)
18返し口を縫い残す

④ 内袋は、見返しと裏布を縫い合わせた後、表袋と同様に縫う

表袋と内袋を中表に合わせて袋口を縫い、返し口から表に返す
見返し(裏)
表布(裏)

1025 4本どり バックS
1025 4本どり フレンチナッツS
1025 4本どり サテンS
1025 4本どり バックS

図案＝実物大　中心

裏布(表)
ステッチ
内袋の返し口はまつって、とじる
表布(表)

町並みのパネル（フラワーショップ） page 43 上

仕上りサイズ　16×14cm
材料
アンカー刺しゅう糸
5番＝261
25番＝215、860、261（以上グリーン系）、
　　　　110、1030、60、76
布地　ハーフリネン（ヘリンボーン）20×30cm
　　　ハーフリネン10×30cm
　　　ポリエステルチュール（グリーンむら染め）少々

接着芯　30×30cm
鉛シート　6×10cm
針金　適量
パネル　16×14×厚み3cm

point
厚さ3cmの発泡スチロール、または厚さ1cmのスチレンボードを3枚はり合わせたものに、刺しゅうをした布をかぶせて裏側に折り、製本テープではる。

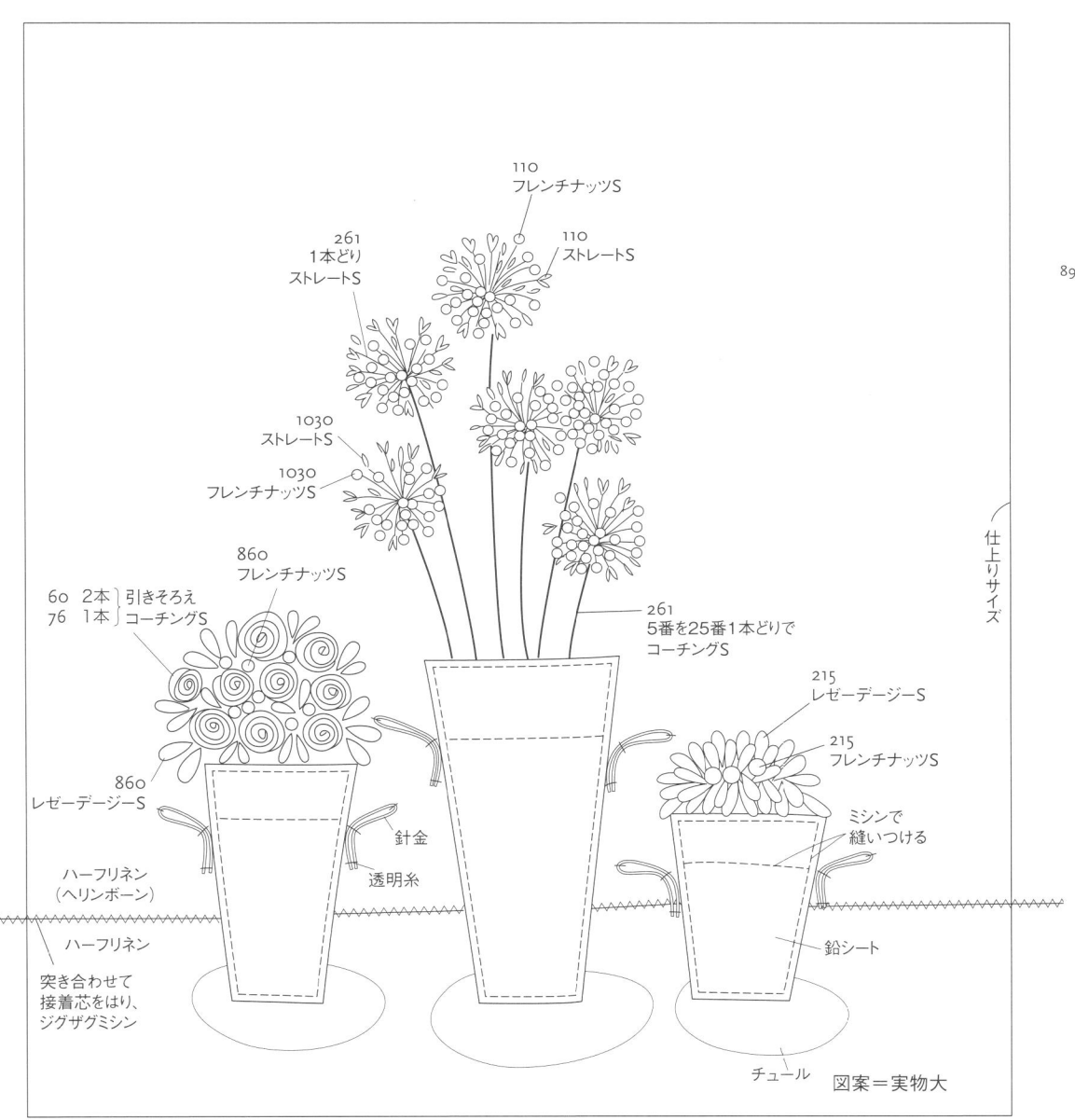

110
フレンチナッツS

261
1本どり
ストレートS

110
ストレートS

1030
ストレートS

1030
フレンチナッツS

860
フレンチナッツS

60　2本 引きそろえ
76　1本 コーチングS

261
5番を25番1本どりで
コーチングS

215
レゼーデージーS

215
フレンチナッツS

860
レゼーデージーS

針金
透明糸

ミシンで
縫いつける

ハーフリネン
（ヘリンボーン）

ハーフリネン
突き合わせて
接着芯をはり、
ジグザグミシン

鉛シート

チュール　図案＝実物大

仕上りサイズ

図中ラベル:

- 926 / 5番を25番1本どりで / コーチングS
- リネンテープをまつりつける
- 11 / フレンチナッツS
- 2 / フレンチナッツS
- 899 / 1本どり / ストレートS
- ピュアリネン / 両面接着芯ではる
- 39 / フレンチナッツS
- 306 / ストレートS
- 2 / ストレートS
- 266 / 2本どり / ストレートS
- 306 / フレンチナッツS
- 2 / ストレートS
- 2 / フレンチナッツS
- 2 / フレンチナッツS
- スラブコットン / 両面接着芯ではる
- 268 / レゼーデージーS
- 39 / フレンチナッツS
- パネルの厚み分刺しゅうする
- 仕上りサイズ
- 図案=実物大

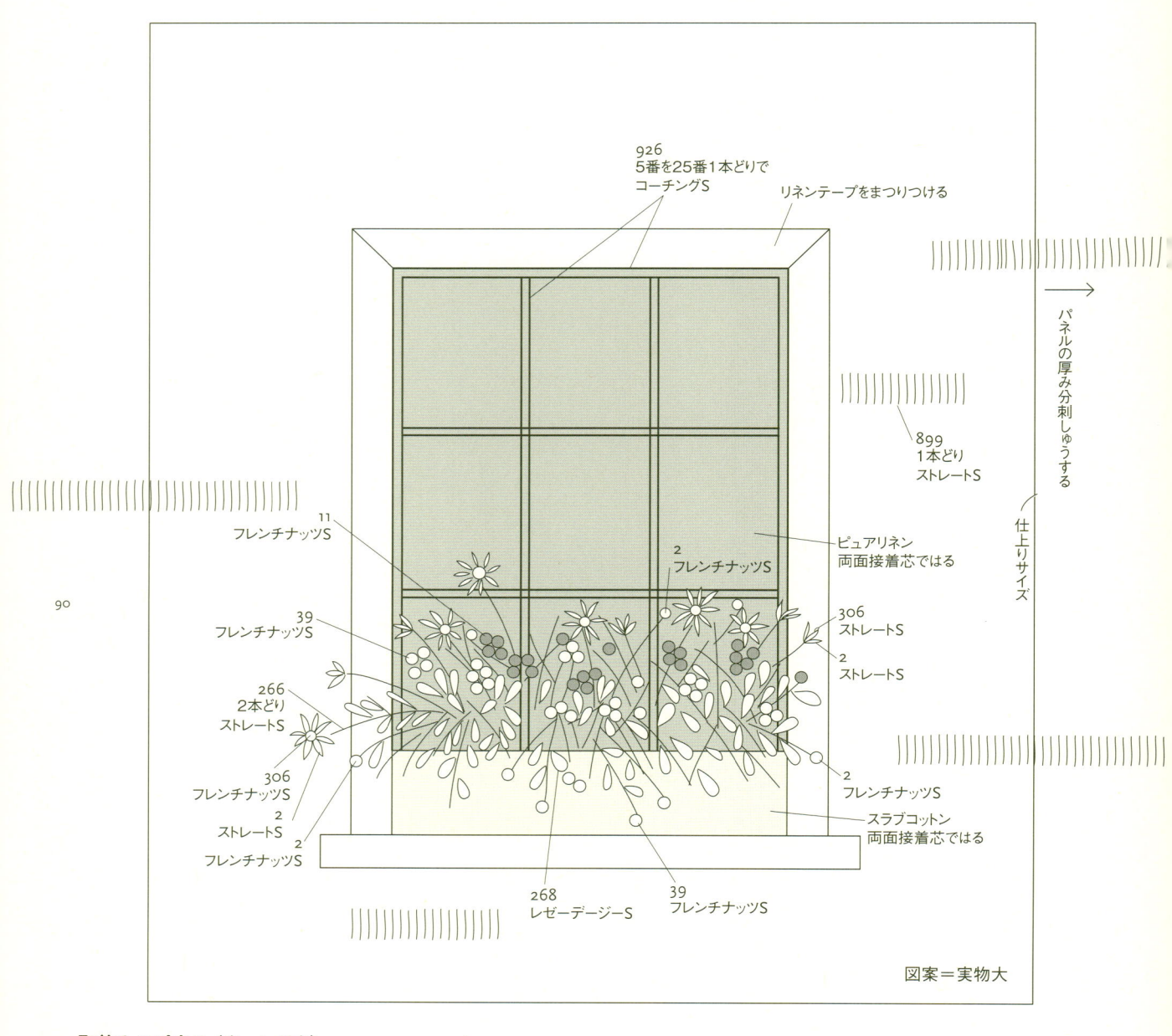

町並みのパネル（ウィンドウ） page 42、page 43 中

仕上りサイズ　14×16cm

材料

アンカー刺しゅう糸

5番＝926

25番＝266、268（以上グリーン系）、2、306、11、39、899、926

布地　ハーフリネン30×30cm
　　　ピュアリネン（ブラウン）10×10cm
　　　スラブコットン（グリーン）10×5cm

接着芯　30×30cm　　両面接着芯　10×15cm

リネンテープ　0.6cm 幅40cm　　パネル　16×14×厚み3cm

point　page 89 参照。

グラスのスケッチ　page 31　（page 78、79の続き）

表紙用表布（2枚）
ノート用表布（4枚）

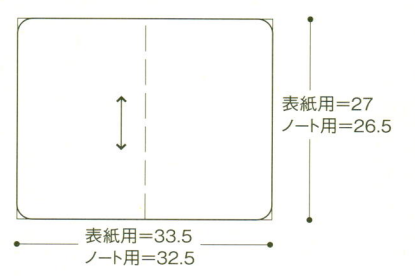

表紙用＝27
ノート用＝26.5

表紙用＝33.5
ノート用＝32.5

町並みのパネル（エントランス） page43 下

仕上りサイズ　16×14cm
材料
アンカー刺しゅう糸
5番＝926
25番＝268、267（以上グリーン系）、
　　　273、387、855、926
布地　ピュアリネン（チェック）20×30cm
　　　ピュアリネン（エクル）10×30cm
　　　ピュアリネン（赤）10×5cm

接着芯　30×30cm
両面接着芯　10×5cm
鉢形のメタルパーツ　2個
パネル　16×14×厚み3cm
point　page 89 参照。

75

273 コーチングS

926
5番を25番1本どりで
コーチングS

273
1本どり
コーチングS

268または267で
ランダムに
レゼーデージーS

387
フレンチナッツS

855
アウトラインS

273
ストレートS

273
コーチングS

仕上りサイズ

ピュアリネン（赤）
両面接着芯ではる

突き合わせて
接着芯をはり、
ドアのアップリケを
してからジグザグミシン

ピュアリネン（チェック）
ピュアリネン（エクル）

メタルパーツ
透明糸でとめつける

273
1本どり
コーチングS

図案＝実物大

---

②表布2枚を中表に合わせて縫い、返し口から表に返す

①裏に接着芯をはる

1縫い代

表紙用表布（裏）

15返し口を縫い残す

③表布4枚を重ねて、中央をとじる

①裏に接着芯をはる

②刺しゅうする

ノート用表布（裏）

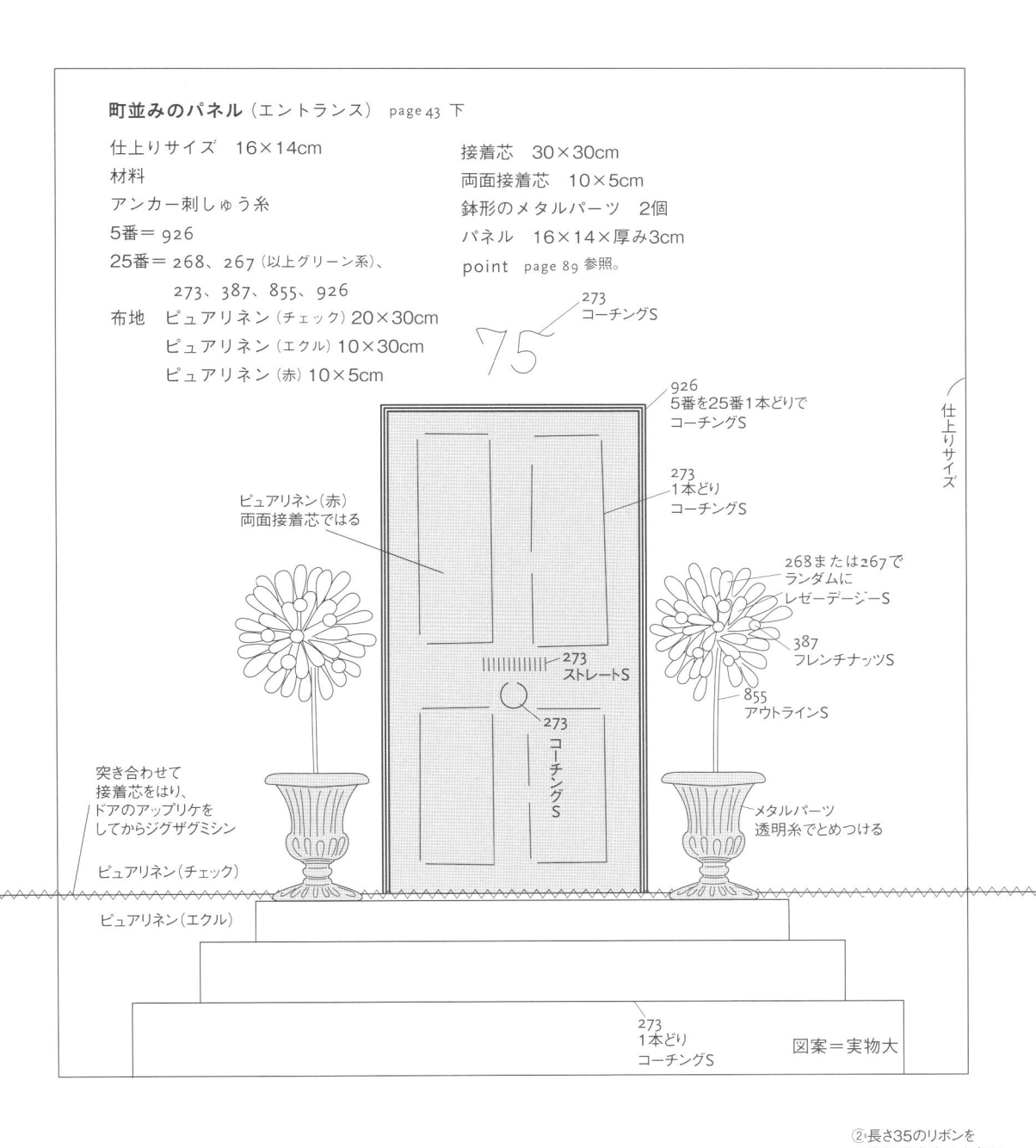

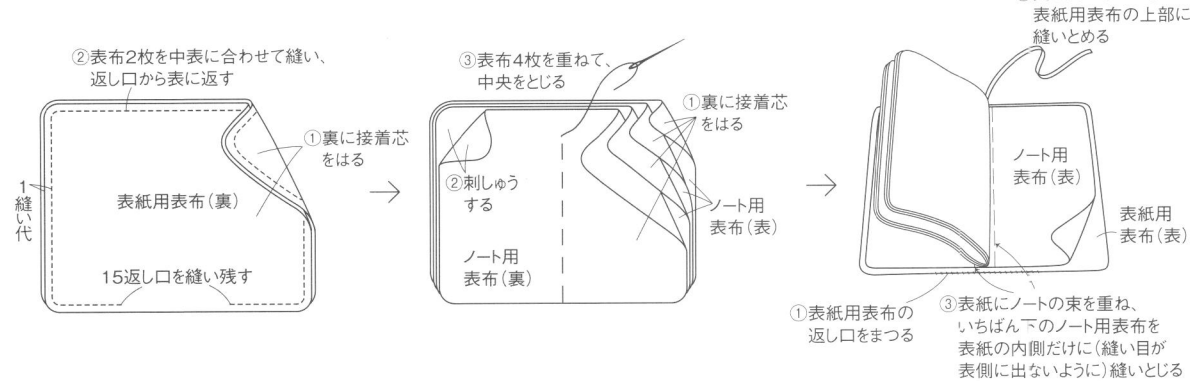

ノート用表布（表）

②長さ35のリボンを表紙用表布の上部に縫いとめる

①表紙用表布の返し口をまつる

③表紙にノートの束を重ね、いちばん下のノート用表布を表紙の内側だけに（縫い目が表側に出ないように）縫いとじる

ノート用表布（表）

表紙用表布（表）

コスモスのクッション page 44

仕上りサイズ 35×35cm

材料
アンカー刺しゅう糸
25番＝266、267（以上グリーン系）、
　　　　68、972、305、1088
布地　表側布＝ピュアリネン（エクル）20×65cm
　　　　　　ハーフリネン（ストライプ）30×30cm
　　　　　　ハーフリネン（ヘリンボーン）20×30cm
　　　　裏側布＝ピュアリネン（エクル）55×40cm

接着芯　50×50cm
くるみボタン　直径1.4cmを3個
35×35cmのヌードクッション

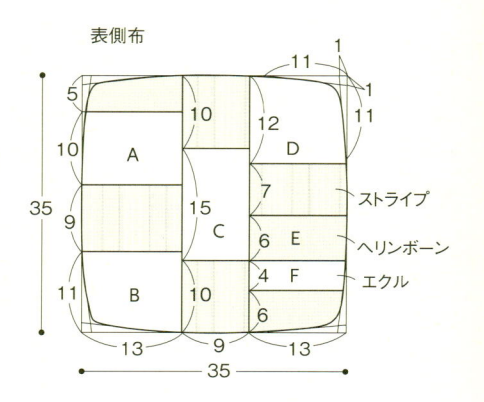

図案＝実物大

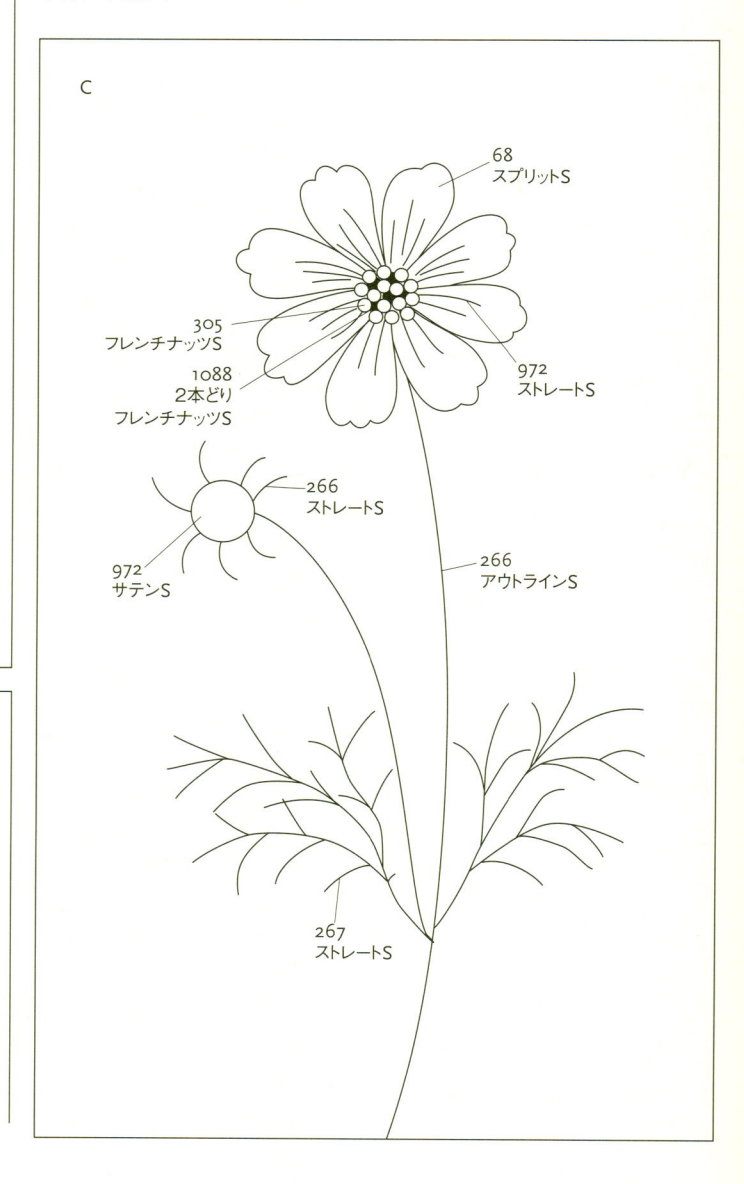

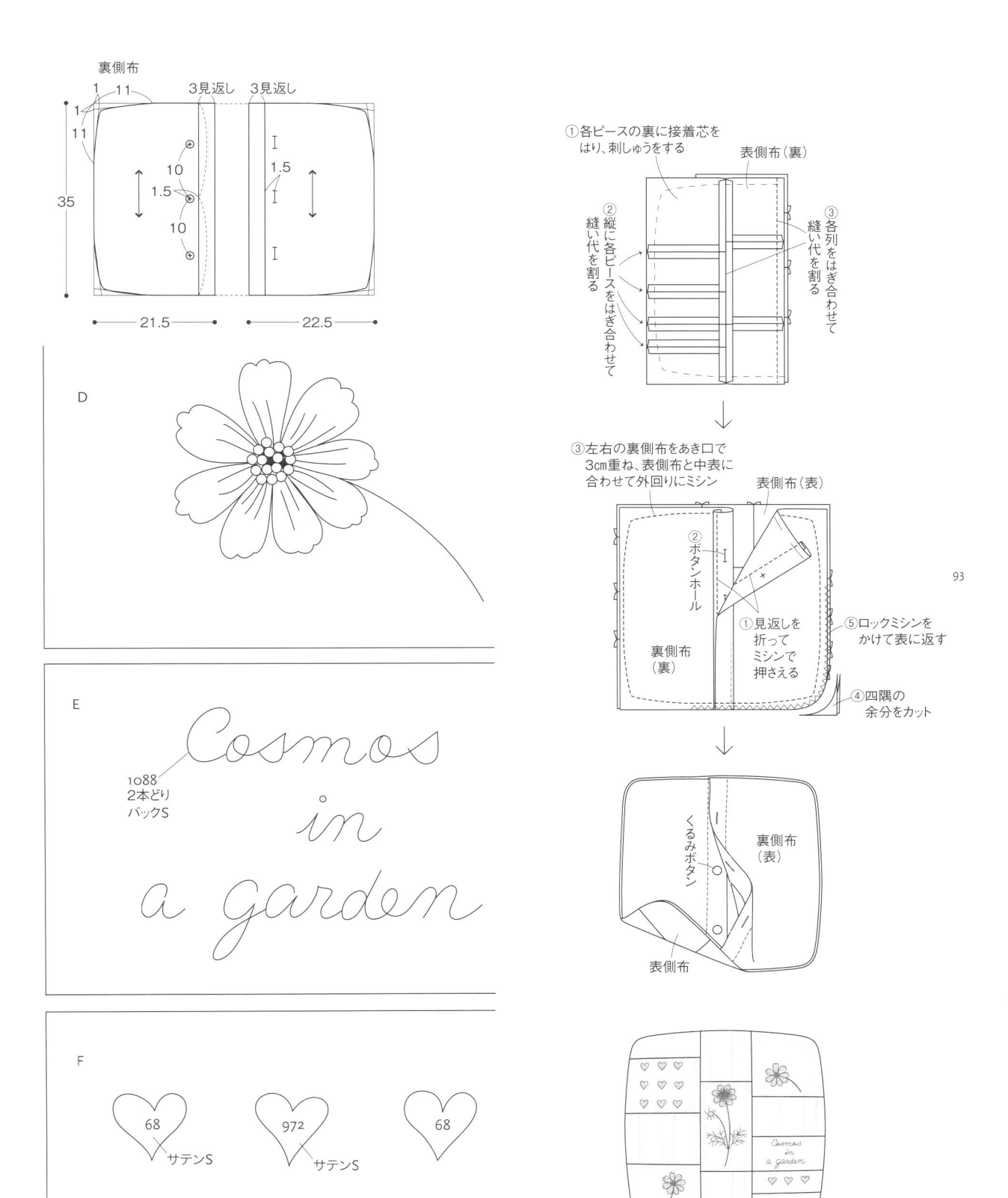

裏側布
1 11
1
1 11
35
10
1.5
10
1.5
21.5
22.5
3見返し 3見返し
1.5
I
I

D

E
1088
2本どり
バックS

Cosmos
in
a garden

F
68 サテンS
972 サテンS
68

①各ピースの裏に接着芯を
はり、刺しゅうをする
表側布(裏)

②縦に各ピースをはぎ合わせて縫い代を割る
③各列をはぎ合わせて縫い代を割る

③左右の裏側布をあき口で
3cm重ね、表側布と中表に
合わせて外回りにミシン

表側布(表)
②ボタンホール
裏側布(裏)
①見返しを折ってミシンで押さえる
⑤ロックミシンをかけて表に返す
④四隅の余分をカット

裏側布(表)
くるみボタン
表側布

ホビーラホビーレ ショップリスト

この本の作品の多くはホビーラホビーレの布地を使って製作しています。
アンカーの刺しゅう糸や、この本で紹介しているデザイン（page 2、4、14、15、19、39、48）と同じ、
または別アイテムの材料キットなどの取扱いもございますので、詳細はお近くのショップにお問い合わせください。

★ 東北
盛岡川徳ホビーラホビーレ　019-622-6155
仙台ホビーラホビーレ　022-262-4550

★ 関東
ホビーラホビーレ柏店（ステーションモール内）　04-7148-2166
そごう千葉店ホビーラホビーレ　043-245-2004
東武百貨店船橋店ホビーラホビーレ　047-425-2211
伊勢丹浦和店ホビーラホビーレ　048-834-3165
京王百貨店新宿店ホビーラホビーレ　03-3342-2111
ホビーラホビーレ玉川店　03-3707-1430
日本橋髙島屋ホビーラホビーレ　03-3271-4564
日本橋三越本店ホビーラホビーレ　03-3231-3570
東武百貨店池袋店ホビーラホビーレ　03-3981-2211
西武池袋本店ホビーラホビーレ　03-6912-7319
ホビーラホビーレアトレ吉祥寺店　0422-22-2098
伊勢丹立川店ホビーラホビーレ　042-525-2671

伊勢丹相模原店ホビーラホビーレ　042-740-5385
そごう横浜店ホビーラホビーレ　045-465-2759
横浜髙島屋ホビーラホビーレ　045-313-4472
港南台髙島屋ホビーラホビーレ　045-831-6441
ホビーラホビーレたまプラーザ店　045-903-2054

クレアシオン ドゥ リュクス
　伊勢丹新宿店　03-3358-0881
日本橋三越本店クチュリエール　03-3231-5586
マルグリットららぽーと横浜店　045-414-2423
マルグリットららぽーとTOKYO-BAY店　047-421-7657

★ 東海
静岡伊勢丹ホビーラホビーレ　054-251-7897
名古屋三越星ヶ丘店ホビーラホビーレ　052-781-3080
ジェイアール名古屋タカシマヤ
　ホビーラホビーレ　052-566-8472

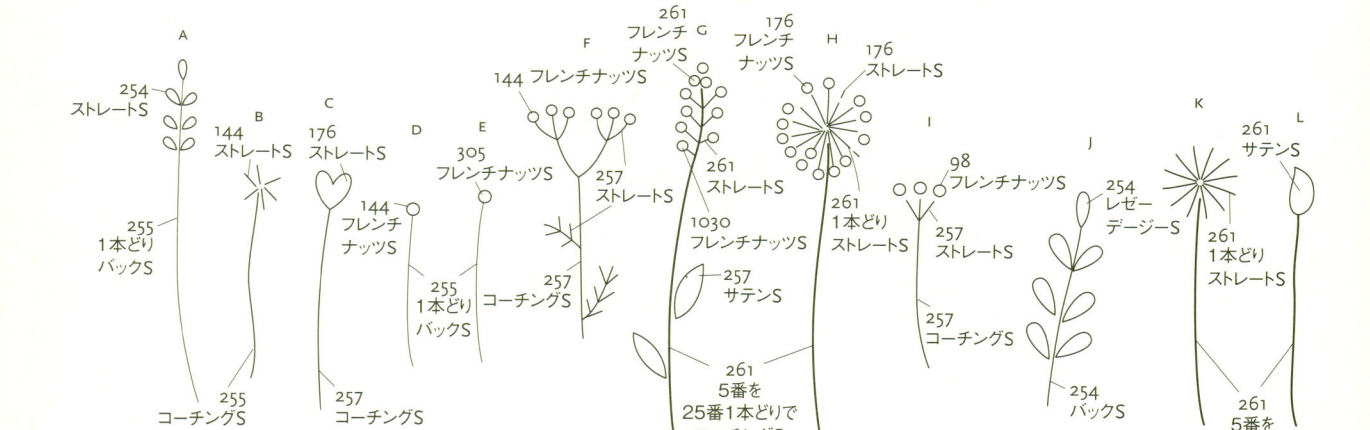

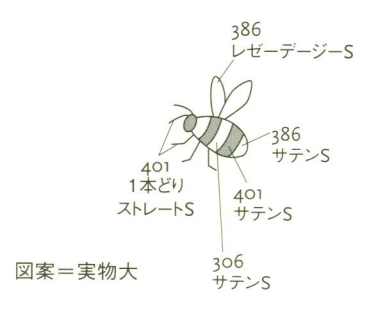

クールカラーのボーダー（パーツ）page 2

材料
アンカー刺しゅう糸
5番＝261
25番＝261、257、254、255（以上グリーン系）、
　　　305、306、176、144、1030、98、386、401

point
全体は前見返しの図案を120％に拡大して使用。
刺しゅうのサイズは6×43cm。リネン（白）に接着芯をはる。

図案＝実物大

松坂屋名古屋店ホビーラホビーレ	052-264-2785		★ 中国	
名鉄ホビーラホビーレ	052-571-5166		そごう広島店ホビーラホビーレ	082-511-7688
			福屋広島駅前店ホビーラホビーレ	082-568-3640
★ 北陸、甲信越				
新潟伊勢丹ホビーラホビーレ	025-241-6062		★ 九州	
香林坊大和ホビーラホビーレ	076-220-1295		マルグリットJR博多シティ店	092-413-5070
富山大和ホビーラホビーレ	076-424-1111		福岡岩田屋ホビーラホビーレ	092-723-0350
ながの東急ホビーラホビーレ	026-226-9592		大分トキハ本店ホビーラホビーレ	097-532-4130
★ 関西				
梅田阪急ホビーラホビーレ	06-6361-1381			
大阪髙島屋ホビーラホビーレ	06-6631-1101		★このリストは2012年7月現在のもので、	
京都髙島屋ホビーラホビーレ	075-221-8811		変更される場合があります。	
マルグリットあべの店	06-6629-3770			
マルグリット阪急西宮ガーデンズ店	0798-64-1248		株式会社ホビーラホビーレ	

〒140-0011　東京都品川区東大井5-23-37
tel. 03-3472-1104（代）　fax. 03-3472-1196
http://www.hobbyra-hobbyre.com

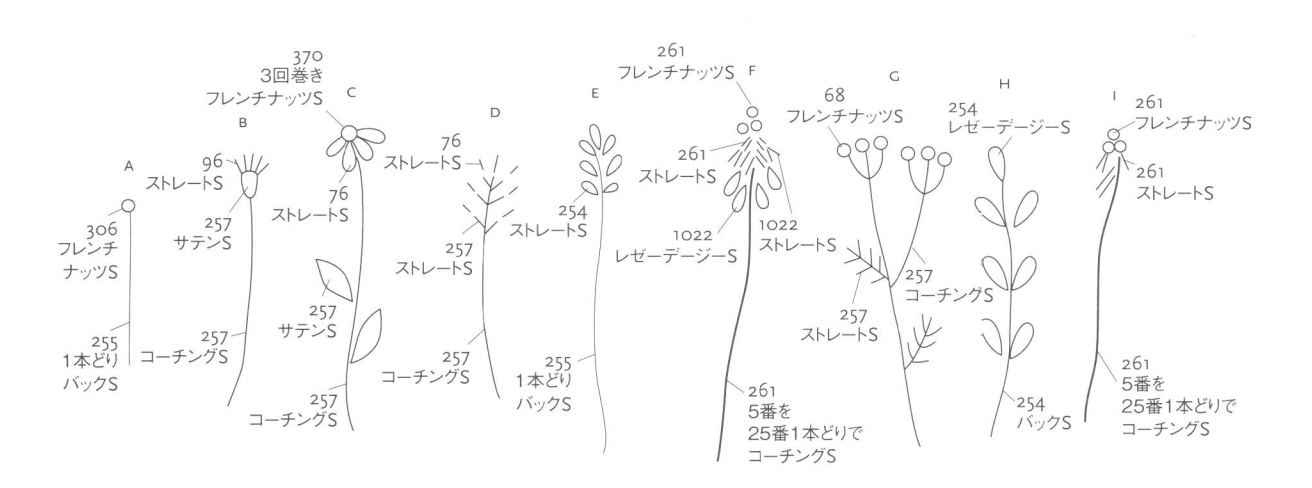

ホットカラーのボーダー（パーツ）page 48

材料
アンカー刺しゅう糸
5番＝261
25番＝261、257、255、254（以上グリーン系）、
　　　96、76、68、1025、306、1022、370、273

point
全体は後ろ見返しの図案を120%に拡大して使用。
刺しゅうのサイズは6×41.5cm。リネン（白）に接着芯をはる。

図案＝実物大

ガーデンツール page 22

刺しゅうのサイズ　7×5.5cm
（麻ひもは除く）
材料
アンカー刺しゅう糸
25番＝901、1086、399、268、256
布地　リネン（白）適量
接着芯　適量
麻ひも　適量

256 スプリットS
268 スプリットS
399 サテンS
901 スプリットS
1086 ストレートS
麻ひも

図案＝150％に拡大して使用

ティーバッグ page 46

刺しゅうのサイズ　6×4cm（1個の袋部分）
材料
アンカー刺しゅう糸
5番＝926
25番＝926、306、257、398、233、273
布地　リネン（白）適量
　　　ピュアリネン（ブルー）少々
　　　ポリエステルオーガンジー（エクル）少々
接着芯　適量

ブルーのリネン
接着芯をはって刺しゅうをしてから
もう1枚を外表にはり合わせる

257 ストレートS
306 フレンチナッツS
926 レゼーデージーS
398 ストレートS（5番刺しゅう糸をとめる）
926 5番 刺しゅうしないで動くようにしておく
398 ストレートS（5番刺しゅう糸をとめる）
233 1本どり コーチングS
273 フレンチナッツS

刺しゅうをしたら
オーガンジーを上に重ねて
目立たないようにまつりつける

図案＝150％に拡大して使用

AD ＆ ブックデザイン　若山嘉代子 L'espace
撮影　小泉佳春
旅の撮影　青木和子
トレース　day studio ダイラクサトミ
小物の作り方解説　山村範子

取材協力＆布地と刺しゅう糸提供
ホビーラホビーレ　東京都品川区東大井5-23-37　tel. 03-3472-1104
ユキ・リミテッド（アンカー）　兵庫県西宮市苦楽園四番町10-10　tel. 0798-72-1563

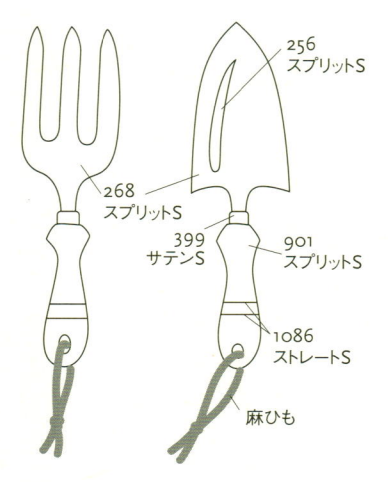

Special Thanks
Mary Woodin　今井由美子　真木文絵　阪本道子・瀧川宰子（ホビーラホビーレ）

青木和子　旅の刺しゅう
野原に会いにイギリスへ

2007年6月4日　第1刷発行
2012年7月26日　第8刷発行
著　者　青木和子
発行者　大沼　淳
発行所　学校法人文化学園 文化出版局
　　　　〒151-8524
　　　　東京都渋谷区代々木3-22-7
　　　　電話　03-3299-2489（編集）
　　　　　　　03-3299-2540（営業）
印刷所・製本所　株式会社文化カラー印刷

©Kazuko Aoki 2007　Printed in Japan
本書の写真、カット及び内容の無断転載を禁じます。

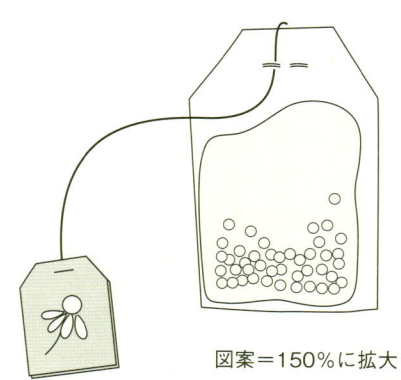

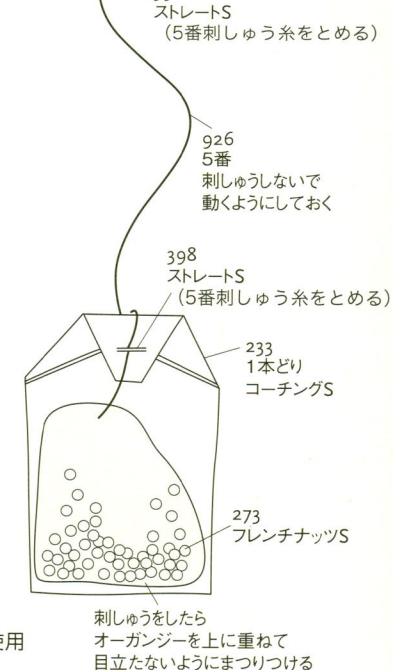

・本書のコピー、スキャン、デジタル化等の無断複製は著作権法上での例外を除き、禁じられています。
・本書を代行業者等の第三者に依頼してスキャンやデジタル化することは、たとえ個人や家庭内での利用でも著作権法違反になります。
・本書で紹介した作品の全部または一部を商品化、複製頒布、及びコンクールなどの応募作品として出品することは禁じられています。
・撮影状況や印刷により、作品の色は実物と多少異なる場合があります。ご了承ください。

文化出版局のホームページ　http://books.bunka.ac.jp/
書籍編集部情報や作品投稿などのコミュニティサイト　http://fashionjp.net/community/

A B C B C D E F B F G C A C E H C F E I G F C A E C G C F B E F A C C C B A E F H